#홈스쿨링
#혼자공부하기

똑똑한
하루 과학

Chunjae
Makes
Chunjae

▼

똑똑한 하루 과학

기획총괄	박상남
편집개발	조진형, 구영희, 김현주, 김성원
디자인총괄	김희정
표지디자인	윤순미, 박민정
내지디자인	박희춘, 우혜림
본문 사진 제공	야외생물연구회, 셔터스톡
제작	황성진, 조규영

발행일	2023년 1월 15일 2판 2023년 1월 15일 1쇄
발행인	(주)천재교육
주소	서울시 금천구 가산로9길 54
신고번호	제2001-000018호
고객센터	1577-0902

똑똑한 하루 과학

어떤 책인지 알면 공부가 더 재미있어.

똑똑한 하루 과학 구성과 특징

핵심 용어

· 핵심 용어만 쏙!
· 한자와 예문으로 이해 쏙쏙!
· 그림으로 기억력 UP!

1일~4일 학습

실험 동영상

빠른 정답 보기

· '❶ 개념 만화 → ❷ 개념 익히기 → ❸ 개념 확인하기' 3단계로 하루 학습
· 하루 6쪽, 4주면 한 학기 공부 끝!

5일 마무리 학습

① 핵심 개념

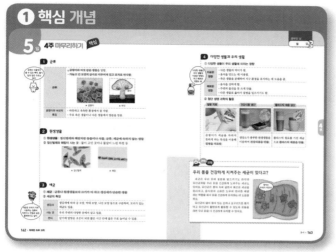

② 문제

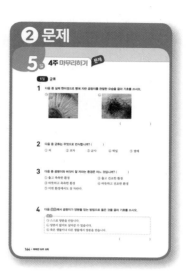

• '① 핵심 개념 → ② 문제' 2단계로 하루 학습

특강

누구나 100점 TEST

생활 속 과학 / 사고 쑥쑥 / 논리 탄탄

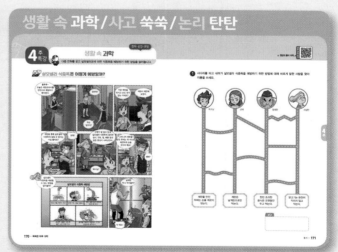

• 한 주에 배운 내용을 확인하는 누구나 100점 맞는 TEST
• 재미있고 새로운 유형의 특강으로 창의력, 사고력, 논리력 UP!

재미있게 똑똑해지네?

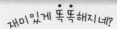

하루하루

조금씩 기초부터 쌓다 보면 어느새 자신감이 생겨.

똑똑한 하루 과학 차례

똑똑한 하루 과학을 함께할 친구들

사실만

아이디어가 별로 없는
발명가

장대한

몸만 근육질인 여린
감성의 격투기 선수

신애

세 명의 어른들을
이끄는 5학년 어린이

최고남

아이돌 출신 허당
영화배우

과학 탐구

1 탐구 문제 정하기

① 문제 인식 : 탐구할 문제를 찾아 명확하게 나타내는 것

② 탐구 문제를 정할 때 생각할 점

- 스스로 탐구할 수 있어야 합니다.
- 탐구 범위가 좁고 구체적이어야 합니다.
- 탐구하고 싶은 내용이 분명하게 드러나야 합니다.

이 주제로 탐구를 진행해 보자.

③ 탐구 문제 예

사인펜의 색깔에 따라 잉크에 섞여 있는 색소의 색깔은 같을까?

2 실험 계획 세우기

① 변인 통제 : 실험에서 다르게 해야 할 조건과 같게 해야 할 조건을 확인하고 통제하는 것

② 실험 계획을 세울 때 생각할 점

- 탐구 문제를 해결할 수 있는 적절한 실험 방법을 생각합니다.
- 다르게 해야 할 조건, 같게 해야 할 조건, 관찰하거나 측정해야 할 것을 정합니다.

③ 실험에서 같게 해야 할 조건과 다르게 해야 할 조건 예

다르게 해야 할 조건	같게 해야 할 조건
사인펜의 색깔	종이가 물에 잠기는 정도, 물의 양, 점의 크기와 위치, 사인펜의 종류, 종이의 종류와 크기 등

④ 관찰하거나 측정해야 할 것 : 예 사인펜으로 찍은 점에서 분리된 색소

3 실험하기

실험하는 동안 안전 수칙을 지켜야 해.

① 실험할 때 주의할 점

- 변인 통제에 유의하면서 계획한 과정에 따라 실험합니다.
- 실험 결과를 있는 그대로 기록하고, 실험 결과가 예상과 다르더라도 고치거나 빼지 않습니다.

② 실험 과정 : 예 거름종이 세 장에 각각 검은색, 빨간색, 파란색 사인펜으로 점을 찍고, 거름종이의 끝을 물에 담근 후 변화를 관찰합니다.

③ 실험 결과 예

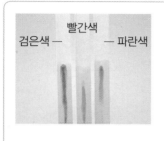

- 검은색 사인펜 : 보라색, 분홍색, 노란색, 하늘색 순서로 색소가 나타남.
- 빨간색 사인펜 : 진분홍색, 분홍색, 노란색 순서로 색소가 나타남.
- 파란색 사인펜 : 하늘색, 보라색, 분홍색 순서로 색소가 나타남.

4 실험 결과를 정리하고 해석하기

① 자료 변환 : 실험 결과를 표나 그래프의 형태로 바꾸어 나타내는 것

② 자료 해석 : 실험 결과를 통해 알 수 있는 점을 생각하고, 자료 사이의 관계나 규칙을 찾아내는 것

③ 실험 결과가 잘 드러나게 표로 나타내기 예

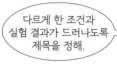 다르게 한 조건과 실험 결과가 드러나도록 제목을 정해.

사인펜의 색깔에 따라 분리된 색소

분리된 색소 \ 사인펜의 색깔	검은색	빨간색	파란색
보라색	○	×	○
진분홍색	×	○	×
분홍색	○	○	○
하늘색	○	×	○
노란색	○	○	×

 표를 사용하면 많은 자료를 가로와 세로 칸에 체계적으로 정리할 수 있어.

5 실험 결과에서 결론 이끌어 내기

① 결론 도출 : 실험 결과에서 결론을 이끌어 내는 과정

② 실험 결과에서 결론 이끌어 내기 예

사인펜의 색깔에 따라 잉크에 섞여 있는 색소의 종류와 개수는 다르다.

탐구를 한 뒤에 흥미가 생기거나 더 알고 싶은 점이 생기면 새로운 탐구를 계획해.

열이 이동하기 때문에 온도가 변해.

온도 변화

전도

고체에서 열의 이동

온도

열의 이동

단열

온도계

액체에서 열의 이동

기체에서 열의 이동

대류

▲ 귀 체온계

▲ 적외선 온도계

▲ 알코올 온도계

▲ 위로 올라가는 파란색 잉크

▲ 위로 올라가는 비눗방울

온도 측정 방법과 온도가 변하는 까닭을 알고 고체, 액체, 기체에서 열은 어떻게 이동하는지 공부해!

이번 주에는 무엇을 공부할까? ❷

온도

溫度
따뜻할 온 법도 도

시원하다.

뜻 물질의 차갑고 따뜻한 정도를 숫자와 단위로 나타낸 것

예 사람마다 느끼는 따뜻한 정도는 다르기 때문에 **온도**로 정확하게 나타내야 해요.

온도계

溫度計
따뜻할 온 법도 도 셀 계

적외선 온도계

뜻 물체의 온도를 재는 데 쓰는 측정 도구

예 체온을 재는 체온계, 고체의 온도를 재는 적외선 온도계 등 쓰임새에 따라 여러 가지 **온도계**가 있어요.

물질

物質
만물 물 바탕 질

고무

금속   나무

뜻 물체를 만드는 재료. 금속, 플라스틱, 나무, 고무 등이 있음.

예 학교 책상은 금속, 나무, 플라스틱 등 여러 가지 **물질**로 이루어진 물체예요.

열

熱
더울 열

열을 가하면 '가열'!

태양   태양열!

뜻 뜨겁게 해 주는 것. 열이 한 물질에서 다른 물질로 이동하면 온도가 변함.

예 물이 담긴 냄비에 **열**을 가하면 물의 온도가 점점 올라가 결국 물이 끓게 돼요.

온도와 열에 관련된 용어가 있어. 특히 전도, 대류 등의 용어와 개념은 꼭 기억해.

전도

傳 導
전할 전 이끌 도

전달! 전달!

뜻 구리판 등 고체에서 열이 이동하는 방법. 열이 고체 물질을 따라 이동함.

예 프라이팬 바닥을 달구면 열이 **전도**되어 프라이팬 손잡이까지 뜨거워져요.

단열

斷 熱
끊을 탄 더울 열

단열재

뜻 두 물질 사이에서 열의 이동을 줄이는 것

예 집을 지을 때 겨울이나 여름에 적절한 실내 온도를 오래 유지할 수 있으려면 **단열**이 중요해요.

대 류

對 流
대할 대 흐를 류

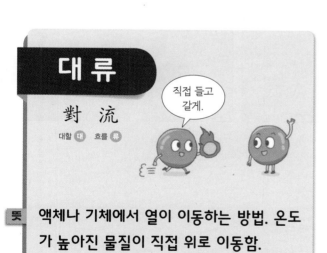

직접 들고 갈게.

뜻 액체나 기체에서 열이 이동하는 방법. 온도가 높아진 물질이 직접 위로 이동함.

예 욕조 안 목욕물이나 지구를 둘러싼 공기 층에서도 **대류**가 일어나요.

따뜻해진 공기는 위로 올라가.

물은 대류에 의해 데워져.

손잡이까지 열이 전도되어 뜨거워.

1일 온도 측정하기

 ? 몸의 온도를 재 볼까?

아이고~ 여긴 어디지?

몸이 떨려요. 방안의 📍**기온**도 너무 낮은 것 같고……

몸의 📍**온도**를 재 봐야겠다. 📍**체온계** 좀 찾아주겠나?

알겠습니다.

거기 학생! 나 좀 도와서 체온계를 같이 찾아줘요.

저요? 알겠어요.

아니, 이것은!

찾았어요?

초절정 인기 아이돌인 나의 앨범! 무려 오백 장이 팔렸지.

체온계부터 찾아!

🐼 용어 체크

📍 **기온**

공기의 온도

氣	溫
공기	따뜻할
기	온

예 오늘은 낮부터 [❶]이 올라가서 봄 날씨치고는 매우 따뜻하다.

📍 **온도**

물질의 차갑고 따뜻한 정도를 숫자와 단위 ℃(섭씨도)를 붙여 나타낸 것

예 새우 튀김을 요리할 때 적당한 기름의 [❷]는 180 ℃이다.

정답 ❶ 기온 ❷ 온도

정작 필요한 온도계가 아니야

용어 체크

체온계

몸의 온도를 재는 데 쓰는 온도계

예 감기에 걸린 것 같아 병원에 갔더니 가장

먼저 [**①**]로 몸의 열을 재었다.

알코올 온도계

붉게 물들인 알코올을 유리관 속에 넣어 만든
온도계. 주로 액체나 기체의 온도를 측정함.

예 [**②**] 온도계는 유리관 속 붉은 액체

가 오르내리는 것을 이용하여 온도를 잰다.

정답 ❶ 체온계 ❷ 알코올

1 차갑거나 따뜻한 정도를 정확하게 알려면 어떻게 해야 할까?

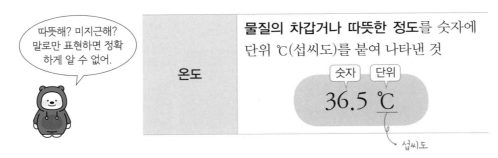

따뜻해? 미지근해? 말로만 표현하면 정확하게 알 수 없어.

| 온도 | 물질의 차갑거나 따뜻한 정도를 숫자에 단위 ℃(섭씨도)를 붙여 나타낸 것 |

숫자 단위

36.5 ℃

섭씨도

☑ 물질의 차갑거나 따뜻한 정도는 ❶(말 / 온도)로 나타냅니다.

▶ 실험 **동영상**

2 귀 체온계와 적외선 온도계는 어떻게 쓰일까?

귀 체온계

체온 측정하기

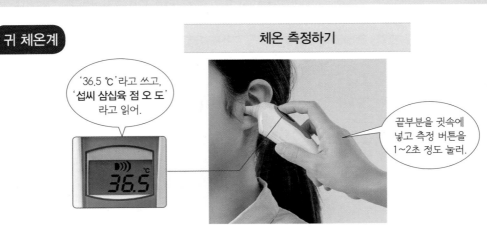

'36.5 ℃'라고 쓰고, '섭씨 삼십육 점 오 도'라고 읽어.

36.5

끝부분을 귓속에 넣고 측정 버튼을 1~2초 정도 눌러.

적외선 온도계

고체 물질의 온도 측정하기

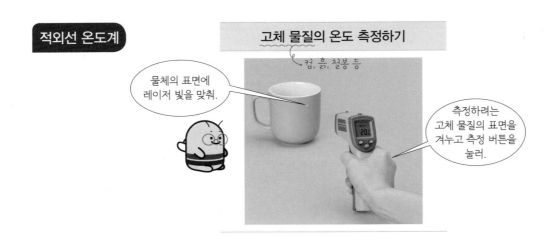

컵, 흙, 철봉 등

물체의 표면에 레이저 빛을 맞춰.

측정하려는 고체 물질의 표면을 겨누고 측정 버튼을 눌러.

☑ 귀 체온계는 ❷(체중 / 체온)을/를, 적외선 온도계는 ❸(컵 / 물)의 온도를 측정할 때 사용합니다.

3 알코올 온도계는 어떻게 쓰일까?

▶ 실험 동영상

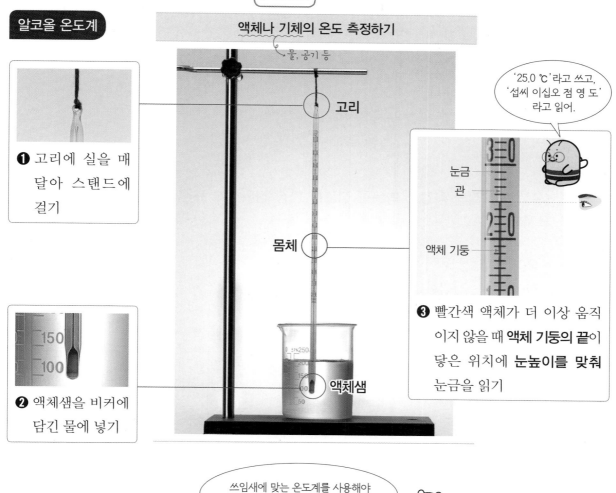

알코올 온도계

액체나 기체의 온도 측정하기

물, 공기 등

고리

몸체

액체샘

❶ 고리에 실을 매달아 스탠드에 걸기

❷ 액체샘을 비커에 담긴 물에 넣기

'25.0 ℃'라고 쓰고, '섭씨 이십오 점 영 도' 라고 읽어.

눈금관

액체 기둥

❸ 빨간색 액체가 더 이상 움직이지 않을 때 **액체 기둥의 끝이** 닿은 위치에 **눈높이를 맞춰** 눈금을 읽기

쓰임새에 맞는 온도계를 사용해야 온도를 정확하게 측정할 수 있어.

☑ 주로 ④(고체 / 액체 / 기체)의 온도를 측정할 때 사용합니다.

정답 ❶ 온도 ❷ 체온 ❸ 컵 ④ 액체, 기체

🐻 **개념 체크**

○ 정답과 풀이 1쪽

1 온도는 숫자에 단위 ☐ (섭씨도)를 붙여 나타냅니다.

2 ☐☐ 물질의 온도를 측정할 때는 적외선 온도계를 사용합니다.

3 물의 온도나 기온은 ☐☐☐ 온도계로 측정해야 합니다.

보기
- °
- ℃
- 고체
- 액체
- 적외선
- 알코올

1 다음 중 물질의 차갑거나 따뜻한 정도를 정확하게 알기 위한 방법으로 옳은 것은 어느 것입니까? (　　　　)

① 말로 표현한다.　　　　　　　② 온도로 나타낸다.

③ 숫자로 나타낸다.　　　　　　④ 물질을 손으로 만져 본다.

⑤ 여러 가지 감각 기관을 사용하여 관찰한다.

2 다음 중 물질의 차갑고 따뜻한 정도를 가장 정확하게 표현한 친구는 누구인지 이름을 쓰시오.

> 뭉이 : 수영장 물이 차가워.
>
> 댕이 : 나는 시원한데.
>
> 멍이 : 물의 온도는 28 ℃야. 수영하기 딱 좋아.
>
> 냥이 : 물의 색깔과 모양을 보니 차갑고 따뜻한 정도는 적당한 것 같아.

(　　　　　　　　)

3 다음은 온도에 대한 설명입니다. ☐ 안에 들어갈 알맞은 말을 쓰시오.

> 온도는 숫자에 단위 ℃(☐)을/를 붙여 나타냅니다.

(　　　　　　　　)

4 다음의 온도계와 그 쓰임새를 줄로 바르게 이으시오.

(1) 귀 체온계　　·

(2) 알코올 온도계　·

(3) 적외선 온도계　·

· ㉠ 몸의 온도를 잴 때

· ㉡ 고체의 온도를 측정할 때

· ㉢ 액체의 온도를 측정할 때

· ㉣ 기체의 온도를 측정할 때

5 오른쪽에서 흙의 온도를 측정할 때 사용하는 온도계의 이름을 쓰시오.

(   )

6 다음 온도를 측정하는 방법에 해당하는 온도계를 보기 에서 골라 기호를 쓰시오.

> 보기
>
> ㉠ 귀 체온계   ㉡ 적외선 온도계   ㉢ 알코올 온도계

(1) 온도계의 끝을 귓속에 넣고 측정 버튼을 1~2초 정도 눌러 측정합니다. (   )

(2) 물체의 표면을 겨누고 측정 버튼을 눌러 측정합니다. (   )

(3) 빨간색 액체의 움직임이 멈추면 온도계의 눈금을 읽습니다. (   )

7 오른쪽은 알코올 온도계의 눈금을 읽는 모습입니다. 눈의 위치로 옳은 것을 골라 기호를 쓰고, 온도는 몇 ℃인지 쓰시오. (단, 소수 첫째 자리까지 쓰시오.)

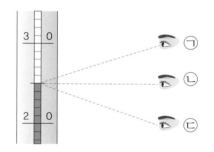

(,   )

똑똑한 **하루 퀴즈**

8 다음 □ 안에 들어갈 알맞은 낱말을 말 상자에서 찾아 모두 ○표를 하세요. 말 상자의 낱말은 가로, 세로, 대각선에 숨어 있어요.

적	액	☆	☆
외	체	온	계
선	☆	도	☆
화	상	계	☆
☆	알	코	올

❶ 체온을 재는 온도계. 귀 □□□

❷ 주로 고체 물질의 온도를 재는 온도계.
  □□□ 온도계

❸ 주로 액체나 기체 물질의 온도를 재는 온도계.
  □□□ 온도계

❹ 물질의 차갑거나 따뜻한 정도를 나타냄. □□

2_일 열의 이동

🐰 수상한 전화

여보세요, 여보세요? 격투기선수 장대한입니다.

후후. 모두 정신이 들었나? 지금부터 게임을 시작해 보도록 하지.

이곳은 수십 개의 방으로 연결돼 있어.

너희가 정해진 시간 내에 이곳을 탈출하지 못하거나 휴대 전화로 외부인과 접촉을 시도한다면 이곳은 무너져 내리고 말 거야.

자, 그럼 행운을 비네~

장대한군. 앞에 있는 TV를 켜보게.

파앗

큰일이네. 어떻게 탈출한담?

걱정하지 마! 난 세계 최고의 발명왕이거든!

각 방을 이루고 있는 ⚲물질을 보면 어떤 성질이 있는지 한눈에 알 수 있어.

오! 대단해요! 어떤 물건들을 발명했나요?

햇빛으로 모기를 잡는 장비를 발명했지.

엥? 모기는 주로 밤에만 다니잖아요.

그래서 많이 팔리지는 않았어.

하아...

저런 사람들과 빠져나갈 수 있을까?

🐼 용어 체크

⚲ **물질**

물체를 만드는 재료. 금속, 플라스틱, 나무, 고무 등이 있음.

예 • 풍선은 고무라는 [①　　　]로 만들어졌다.

　　• 물체는 금속, 플라스틱, 나무, 고무 등의 [②　　　]로 만든다.

금속 막대　　플라스틱 막대

나무 막대　　고무 막대

▲ 여러 가지 물질로 된 막대

정답 ① 물질　② 물질

 방 탈출 힌트는 바로, 열!

📍 **용어 체크**

📍 **열**

뜨겁게 해 주는 것. 물체의 온도를 높이거나 물질의 상태를 변화시키는 원인
이 됨.

예 뜨거운 물이 담긴 컵을 손으로 잡고 있으면 컵의 ❶ ⬜⬜⬜ 이 손으로
이동하여 손이 뜨거워진다.

▲ 열의 이동 : 컵 → 손

정답 ❶ 열

▶ 실험 동영상

1 온도가 다른 두 물질이 접촉하면 어떻게 될까?

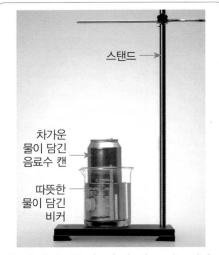

스탠드 →

차가운
물이 담긴
음료수 캔

따뜻한
물이 담긴
비커

❶ 차가운 물이 담긴 음료수 캔을
따뜻한 물이 담긴 비커에 넣기

알코올 온도계

❷ 알코올 온도계 두 개를 음료수
캔과 비커에 각각 넣고, 1분마다
음료수 캔과 비커에 담긴 물의
온도를 측정하기

온도가 다른
두 물질이 접촉하면
두 물질의 온도는
같아져.

음료수 캔에 담긴 차가운 물의
온도는 **점점 높아지고** 비커에 담긴
따뜻한 물의 온도는 **점점 낮아
지는데**, 결국 온도가 같아짐.

결과

차가운 물은
온도가
높아졌어.

따뜻한 물은
온도가
낮아졌어.

☑ 온도가 낮은 물질은 온도가❶(높아 / 낮아)지고, 온도가 높은 물질은 온도가❷(높아 / 낮아)집니다.
시간이 지나면 두 물질의 온도는 같아집니다.

2 접촉한 두 물질의 온도가 변하는 까닭은 무엇일까?

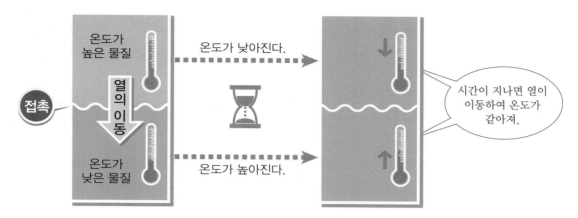

온도가 높은 물질 → 온도가 낮아진다.

열의 이동

온도가 낮은 물질 → 온도가 높아진다.

접촉

시간이 지나면 열이 이동하여 온도가 같아져.

☑ 접촉한 물질의 온도가 변하는 까닭은 ❸(물질 / 열)의 이동 때문입니다.

3 온도가 다른 두 물질이 접촉할 때 열은 어떻게 이동할까?

온도가 높은 프라이팬

열의 이동 방향 ↓

온도가 낮은 달걀

온도가 높은 물질에서 온도가 낮은 물질로 열이 이동해.

▲ 달걀부침 요리를 할 때

온도가 높은 생선

열의 이동 방향 ↓

온도가 낮은 얼음

▲ 얼음 위에 생선을 올려놓을 때

☑ 열은 온도가 ❹(높 / 낮)은 물질에서 온도가 ❺(높 / 낮)은 물질로 이동합니다.

정답 ❶ 높아 ❷ 낮아 ❸ 열 ❹ 높 ❺ 낮

개념 체크

○ 정답과 풀이 1쪽

1 온도가 다른 두 물질이 접촉하여 시간이 지나면 두 물질의 ☐☐이/가 같아집니다.

2 접촉한 두 물질의 온도가 변하는 까닭은 ☐의 이동 때문입니다.

보기
• 열   • 온도
• 높은   • 낮은

3 달걀부침을 요리할 때 온도가 ☐☐ 팬에서 온도가 낮은 달걀로 열이 이동합니다.

1 오른쪽과 같이 차가운 물이 담긴 음료수 캔을 따뜻한 물이 담긴 비커에 넣고 1분마다 온도를 측정할 때, 두 물질의 온도는 어떻게 변하는지 ☐ 안에 알맞은 말을 쓰시오.

(1) 차가운 물은 온도가 [   ]아집니다.

(2) 따뜻한 물은 온도가 [   ]아집니다.

알코올 온도계

차가운 물이
담긴 음료수 캔

따뜻한 물이
담긴 비커

2 다음은 위 **1**번에서 열이 이동하는 방향입니다. ( ) 안의 알맞은 화살표에 ◯표를 하시오.

차가운 물 (→ / ←) 따뜻한 물

3 다음 중 온도가 다른 두 물질이 접촉할 때 두 물질의 온도가 변하는 까닭으로 옳은 것은 어느 것입니까? (   )

① 열이 이동하기 때문이다.

② 열이 사라지기 때문이다.

③ 물질이 이동하기 때문이다.

④ 열이 이동하지 못하기 때문이다.

⑤ 물질의 종류가 다르기 때문이다.

4 다음 보기 에서 온도가 다른 두 물질이 접촉할 때 나타나는 현상에 대한 설명으로 옳은 것을 골라 기호를 쓰시오.

보기

㉠ 두 물질의 온도가 높아집니다.

㉡ 시간이 지나면 두 물질의 온도가 같아집니다.

㉢ 시간이 지날수록 두 물질의 온도 차이가 커집니다.

(   )

5 다음은 온도가 다른 두 물질이 접촉할 때 두 물질의 온도가 변하는 예입니다. 열은 어디에서 어디로 이동하는지 사진 위에 화살표로 나타내시오.

㉠

▲ 갓 삶은 달걀을 차가운 물에 담글 때

㉡

▲ 삶은 면을 차가운 물에 헹굴 때

집중 연습 문제   열의 이동

6 다음 중 두 물질이 접촉할 때 손의 온도가 높아지는 경우는 어느 것입니까? (   )

① 찬물에 손을 담근다.
② 얼음을 손으로 잡는다.
③ 눈사람을 손으로 만든다.
④ 따뜻한 손난로를 손으로 잡는다.
⑤ 차가운 팥빙수가 담긴 그릇을 손으로 감싼다.

> 손보다 온도가 높은 물질을 접촉하는 경우를 찾아.

7 다음 보기 에서 두 물질이 접촉할 때 온도가 낮아지는 경우로 옳은 것을 골라 기호를 쓰시오.

보기
> ㉠ 얼음에 올려놓은 생선의 온도
> ㉡ 뜨거운 철판에 올려 둔 고기의 온도
> ㉢ 여름철 공기 중에 있는 얼음의 온도

(   )

> 두 물질에서 열의 이동 방향은?
>
> • ㉠ ➡ 얼음 ◯ 생선
> • ㉡ ➡ 철판 ◯ 고기
> • ㉢ ➡ 공기 ◯ 얼음

3일 고체에서 열의 이동

열이 이동하면 추락하는 방?!

드디어 첫 번째 문을 열고 나왔다.

영화에서 보면 이런 무늬는 잘못 밟으면 빠져서 위험해지던데……

걱정마. 바닥은 단단한 **고체**로 되어 있어.

무거운 물체인데도 떨어지질 않네요.

천장이 낮으니 기어가면 되겠어.

어푸! 어푸! 사람 살려~

무거운 물체는 안 빠지는데 왜 사람은 빠질까?

사람의 체온이 고체인 바닥을 따라 **전도**되면 밑으로 떨어지는 것 같아.

집중을 해야 아이디어가 떠오를 텐데 악취 때문에 집중이 안 돼.

용어 체크

고체

일정한 모양과 부피를 가지고 있는 물질의 상태. 금속, 나무 등은 고체임.

예 액체인 물을 얼리면 [￼①￼] 상태인 얼음이 된다.

전도

고체에서 열이 이동하는 방법. 열이 온도가 높은 곳에서 낮은 곳으로 고체 물질을 따라 이동함.

예 뜨거운 국에 숟가락을 넣으면 숟가락을 따라 열이 [￼②￼] 되어 손잡이까지 뜨거워진다.

정답 ① 고체 ② 전도

? 단열만이 살 길이야.

용어 체크

◉ 단열

두 물질 사이에서 열의 이동을 줄이는 것

예 집을 지을 때 벽이나 지붕 등에 ① [   ] 물질을 사용
하면 겨울이나 여름에 적절한 실내 온도를 유지할 수 있다.

斷	熱
끊을	더울
단	**열**

└ 단열재(스타이로폼)

정답 ① 단열

5-1 • **25**

실험 동영상

1 고체에서 열은 어떻게 이동할까?

🌐 구리판 가열하기

열 변색 붙임딱지를 붙인 구리판은 온도가 높아지면 하얗게 색깔이 변해.

가열 위치

고체 물질이 끊겨 있다면?

열은 구리판이 끊긴 방향으로는 이동하지 않음.

열의 이동 방향

가열하는 부분에서 멀어지는 방향으로 이동함.

🧪 고체에서 열의 이동 방법

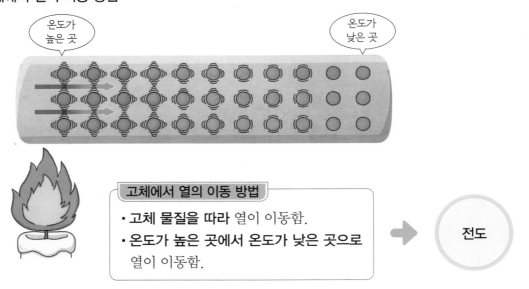

온도가 높은 곳

온도가 낮은 곳

고체에서 열의 이동 방법

· 고체 물질을 따라 열이 이동함.
· 온도가 높은 곳에서 온도가 낮은 곳으로 열이 이동함.

➡ 전도

☑ 고체에서는 **온도가 높은 곳에서 온도가 낮은 곳으로 고체 물질을 따라 열이 이동**하는데, 이러한 열의 이동을 ❶(전도 / 전기)라고 합니다.

2 고체에서 열이 이동하는 빠르기는 같을까?

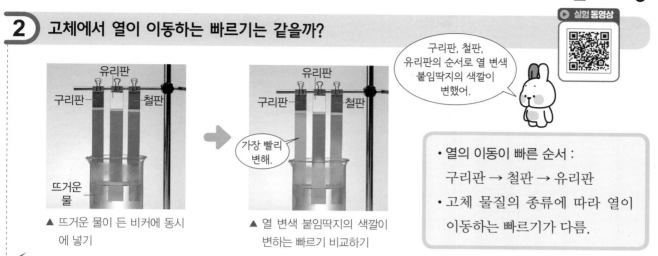

구리판, 철판, 유리판의 순서로 열 변색 붙임딱지의 색깔이 변했어.

가장 빨리 변해.

▲ 뜨거운 물이 든 비커에 동시에 넣기

▲ 열 변색 붙임딱지의 색깔이 변하는 빠르기 비교하기

- 열의 이동이 빠른 순서 : 구리판 → 철판 → 유리판
- 고체 물질의 종류에 따라 열이 이동하는 빠르기가 다름.

✔ 구리판, 철판, 유리판 중 **구리판에서 열이 가장**②(느리게 / **빠르게**) 이동합니다.

3 열이 이동하는 빠르기가 다른 성질을 이용한 예를 알아볼까?

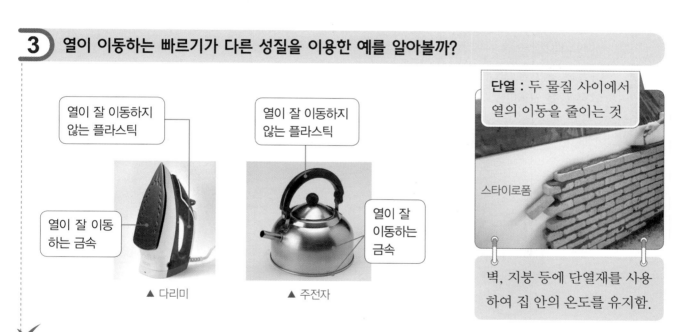

열이 잘 이동하지 않는 플라스틱

열이 잘 이동하는 금속

▲ 다리미

열이 잘 이동하지 않는 플라스틱

열이 잘 이동하는 금속

▲ 주전자

단열 : 두 물질 사이에서 열의 이동을 줄이는 것

스타이로폼

벽, 지붕 등에 단열재를 사용하여 집 안의 온도를 유지함.

✔ 주전자의 바닥은 **열이 이동하는 빠르기가 빠른**③(**금속** / 플라스틱)으로 만듭니다.

정답 ❶ 전도 ❷ 빠르게 ❸ 금속

개념 체크

◇ 정답과 풀이 2쪽

1 고체에서 열은 ☐☐ 물질을 따라 온도가 ☐☐ 곳에서 ☐☐ 곳으로 이동합니다.

2 고체 물질의 종류에 따라 열이 이동하는 빠르기는 (같습니다 / 다릅니다).

3 두 물질 사이에서 열이 이동하는 것을 줄이는 것을 ☐☐ (이)라고 합니다.

보기
- 공기 · 고체
- 높은 · 낮은
- 가열 · 단열

1 오른쪽과 같이 열 변색 붙임딱지를 붙인 구리판을 가열할 때 열 변색 붙임딱지의 색깔이 변하는 방향을 화살표로 바르게 나타낸 것은 어느 것입니까? (● : 가열 위치)

(   )

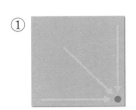 ①   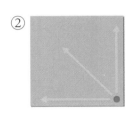 ②   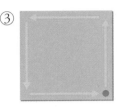 ③   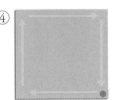 ④

2 다음과 같이 쇠막대의 한쪽 끝부분을 가열할 때, 열은 어떻게 이동하는지 (   ) 안에 알맞은 말을 쓰시오.

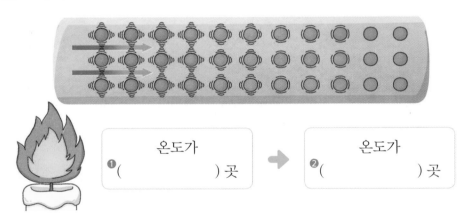

온도가 ❶(   ) 곳 ➡ 온도가 ❷(   ) 곳

3 다음은 열의 이동 방법 중 무엇에 대한 설명입니까? (   )

- 고체에서 열이 이동하는 방법입니다.
- 고체 물질을 따라 열이 이동합니다.
- 가열하면 그 부분의 온도가 높아지고, 주변의 온도가 낮은 곳으로 열이 이동합니다.

① 가열   ② 온도   ③ 변색
④ 전도   ⑤ 단열

4 다음 중 고체 물질의 종류에 따라 열이 이동하는 빠르기를 비교하는 설명으로 옳은 것은 어느 것입니까? (   )

① 열이 이동하는 빠르기는 비교할 수 없다.

② 금속보다 유리에서 열이 더 빠르게 이동한다.

③ 구리, 철, 유리 중 구리에서 열이 가장 빠르게 이동한다.

④ 금속의 종류와 상관없이 열이 이동하는 빠르기는 같다.

⑤ 고체 물질의 종류와 상관없이 열이 이동하는 빠르기는 같다.

5 다음 보기 에서 오른쪽과 같이 집을 지을 때 벽과 벽 사이에 스타이로폼 등의 단열재를 넣은 까닭으로 옳은 것을 골라 기호를 쓰시오.

└ 스타이로폼

보기

㉠ 집을 가볍게 만들기 위해서

㉡ 열이 잘 이동하게 하기 위해서

㉢ 집의 벽을 단단하게 하기 위해서

㉣ 열이 잘 이동하지 못하게 하기 위해서

(   )

 똑똑한 **하루 퀴즈**

6 다음 □ 안에 들어갈 알맞은 낱말을 말 상자에서 찾아 모두 ○표를 하세요. 말 상자의 낱말은 가로, 세로, 대각선에 숨어 있어요.

단	열	☆	플
구	☆	금	라
☆	리	속	스
종	류	판	틱

❶ □□판은 철판과 유리판보다 열이 이동하는 빠르기가 빠름.

❷ 주전자의 손잡이는 열이 잘 이동하지 않는 나무나 □□□□ 등으로 만듦.

❸ □□은 물질 사이에서 열의 이동을 줄이는 것임.

4일 액체와 기체에서 열의 이동

 액체나 기체가 아닌 출구를 찾아라!

🐼 용어 체크

📍 액체

담는 그릇에 따라 모양은 변하지만, 부피는 변하지 않는 물질의 상태

예 물과 주스는 ❶ [   ] 상태의 물질이다.

📍 기체

담는 그릇에 따라 모양이 변하고, 담긴 그릇을 항상 가득 채우는 물질의 상태

예 풍선을 가득 채우고 있는 공기는 ❷ [   ] 상태의 물질이다.

정답 ❶ 액체 ❷ 기체

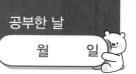

1주

공기에서 대류가 일어나?

용어 체크

대류

온도가 높아진 물질이 직접 위로 이동하면서 열이 전달되는 현상. 액체와 기체에서 열이 이동하는 방법임.

예 욕조에 담긴 물의 윗부분이 아랫부분보다 더 따뜻한 것은 액체의 ❶[   ] 때문이다.

對	流
대할	흐를
대	류

▲ 물의 대류

정답 ❶ 대류

5-1 • **31**

실험 동영상

1 액체에서 열은 어떻게 이동할까?

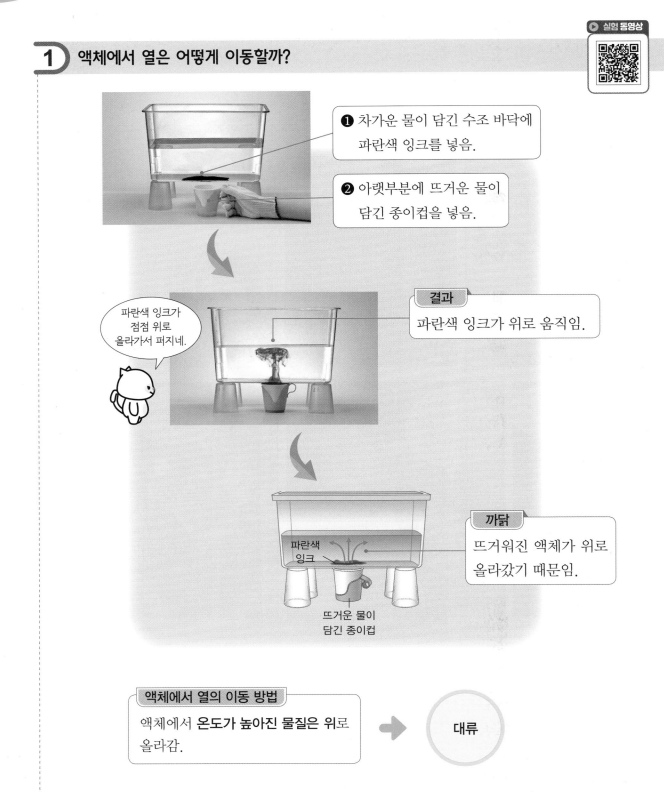

❶ 차가운 물이 담긴 수조 바닥에 파란색 잉크를 넣음.

❷ 아랫부분에 뜨거운 물이 담긴 종이컵을 넣음.

파란색 잉크가 점점 위로 올라가서 퍼지네.

결과

파란색 잉크가 위로 움직임.

까닭

뜨거워진 액체가 위로 올라갔기 때문임.

파란색 잉크

뜨거운 물이 담긴 종이컵

액체에서 열의 이동 방법

액체에서 온도가 높아진 물질은 위로 올라감.

➡ 대류

✔ 액체에서는 온도가 높아진 물질이 ❶(위 / 아래)로 이동하고 위에 있던 물질이 아래로 밀려 내려오는 과정인 ❷(전도 / 대류)를 통해 열이 이동합니다.

2 기체에서 열은 어떻게 이동할까?

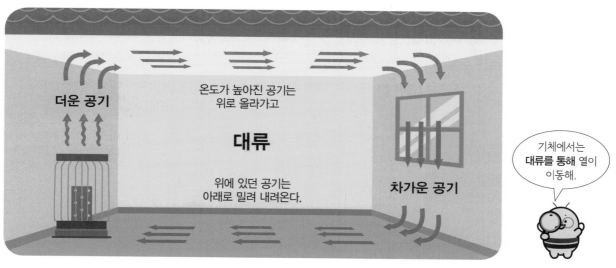

더운 공기

온도가 높아진 공기는 위로 올라가고

대류

위에 있던 공기는 아래로 밀려 내려온다.

차가운 공기

기체에서는 **대류를 통해** 열이 이동해.

☑ 기체에서 열의 이동 방법은 ❸(전도 / 대류)입니다.

3 냉난방 기구는 어디에 설치하는 것이 좋을까?

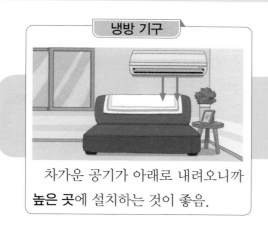

냉방 기구

차가운 공기가 아래로 내려오니까 **높은 곳**에 설치하는 것이 좋음.

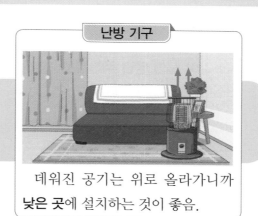

난방 기구

데워진 공기는 위로 올라가니까 **낮은 곳**에 설치하는 것이 좋음.

☑ 냉방 기구는 ❹(높은 / 낮은) 곳에, 난방 기구는 ❺(높은 / 낮은) 곳에 설치하는 것이 좋습니다.

정답 ❶ 위 ❷ 대류 ❸ 대류 ❹ 높은 ❺ 낮은

개념 체크

○ 정답과 풀이 2쪽

1 액체와 기체에서 온도가 [ ]아진 물질은 위로 올라갑니다.

2 액체와 기체에서는 주로 [ ][ ]을/를 통해 열이 이동합니다.

3 [ ][ ] 기구는 낮은 곳에 설치하는 것이 좋습니다.

보기
· 높   · 낮
· 전도   · 대류
· 냉방   · 난방

4일 **개념 확인하기**

1 오른쪽과 같이 장치하고 파란색 잉크의 아랫부분에 뜨거운 물이 담긴 종이컵을 놓았을 때 파란색 잉크의 움직임을 나타낸 것으로 옳은 것은 어느 것입니까? (   )

파란색 잉크

차가운 물 →

뜨거운 물이 담긴 종이컵

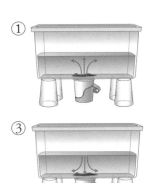

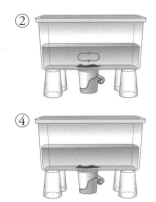

2 오른쪽과 같이 물이 담긴 주전자를 가열할 때 물 전체가 뜨거워지는 현상에 대한 설명으로 옳은 것은 어느 것입니까?

(   )

① 온도가 낮은 물은 위로 올라간다.
② 위에 있던 물의 온도는 낮아진다.
③ 주전자 바닥에 있는 물은 계속 바닥에 머무른다.
④ 시간이 지나도 물 전체의 온도는 변하지 않는다.
⑤ 주전자에 담긴 물은 대류를 통해 열이 이동한다.

3 다음 중 기체에서 열의 이동에 대한 설명으로 옳은 것에는 ○표, 옳지 <u>않은</u> 것에는 ×표를 하시오.

(1) 온도가 높아진 기체는 위로 올라갑니다.   (   )
(2) 공기는 가열해도 열이 이동하지 않습니다.   (   )
(3) 액체에서와 같은 방법을 통해 열이 이동합니다.   (   )

4 다음의 에어컨과 난로는 집 안의 어디에 설치하면 좋을지 줄로 바르게 이으시오.

(1) 난로 ·

(2) 에어컨 ·

· ㉠ 높은 곳

· ㉡ 낮은 곳

5 다음은 에어컨과 난로를 위 **4**번 답과 같이 설치하면 좋은 까닭입니다. ( ) 안의 알맞은 말에 ○표를 하시오.

> (차가운 / 따뜻한) 공기는 아래로 내려오는 성질과
> (차가운 / 따뜻한) 공기는 위로 올라가는 성질을 이용합니다.

집중 연습 문제 | 대류

6 다음 보기 에서 대류에 대한 설명으로 옳은 것을 골라 기호를 쓰시오.

보기
㉠ 두 물질 사이에서 열의 이동을 줄이는 것입니다.
㉡ 열이 온도가 높은 곳에서 온도가 낮은 곳으로 물질을 따라 이동하는 것입니다.
㉢ 액체나 기체에서 온도가 높아진 물질이 위로 올라가고, 위에 있던 물질이 아래로 밀려 내려오는 과정입니다.

( )

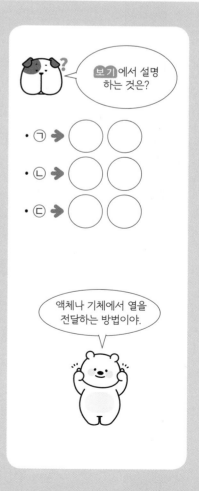

보기 에서 설명하는 것은?

· ㉠ ➡ ○ ○
· ㉡ ➡ ○ ○
· ㉢ ➡ ○ ○

액체나 기체에서 열을 전달하는 방법이야.

7 다음과 같은 방법으로 열이 이동하는 물질을 두 가지 고르시오.

(,)

> 온도가 높아진 물질이 위로 이동하고 위에 있던 물질이 아래로 밀려 내려오면서 열이 이동하는 현상입니다.

① 물 ② 공기 ③ 구리판
④ 유리판 ⑤ 플라스틱 막대

1 온도 측정하기

① 여러 가지 온도계의 쓰임새

귀 체온계	적외선 온도계	알코올 온도계
체온을 측정함.	고체 물질의 온도를 측정함.	액체나 기체의 온도를 측정함.

쓰임새에 맞는 온도계를 사용해야 온도를 정확하고, 편리하게 측정할 수 있어.

② 물질의 온도는 물질이 놓인 장소, 측정 시각, 햇빛의 양 등에 따라 다릅니다.

③ 온도를 측정하는 까닭 : 물질의 차갑거나 따뜻한 정도를 정확하게 알 수 있기 때문입니다.

2 열의 이동

① 열은 온도가 높은 물질에서 온도가 낮은 물질로 이동합니다.

② 온도가 다른 물질이 접촉할 때 나타나는 열의 이동 예

구분	달걀부침을 요리할 때	삶은 면을 차가운 물에 헹굴 때	얼음에 생선을 올려놓을 때
열의 이동 방향	온도가 높은 **프라이팬** ➡ 온도가 낮은 **달걀**	온도가 높은 **삶은 면** ➡ 온도가 낮은 **물**	온도가 높은 **생선** ➡ 온도가 낮은 **얼음**

3 고체에서 열의 이동

① 고체에서 열의 이동 : 고체 물질을 따라 온도가 높은 곳에서 온도가 낮은 곳으로 이동합니다.

길게 자른 구리판	정사각형 구리판	⊓ 모양 구리판

화살표 방향은 열이 이동하는 방향을 나타내.

• 구리판에서 열은 구리판을 따라 가열한 부분에서 멀어지는 방향으로 이동함.

• 구리판이 연결되어 있지 않은 부분으로는 열이 잘 이동하지 않음.

② 전도 : 고체에서 온도가 높은 곳에서 온도가 낮은 곳으로 고체 물질을 따라 열이 이동하는 과정. 고체에서 열이 이동하는 방법입니다.

③ 열이 이동하는 빠르기

• 열의 이동이 빠른 순서 : 구리판 > 철판 > 유리판

• 고체 물질의 종류에 따라 열이 이동하는 빠르기가 다릅니다.

4 **액체와 기체에서 열의 이동**

① **액체에서 열의 이동 알아보기** : 뜨거워진 액체는 위로 올라갑니다.

파란색 잉크

뜨거운 물이
담긴 종이컵

② **기체에서 열의 이동 알아보기** : 온도가 높아진 공기는 위로 올라갑니다.

▶ 실험 동영상

알코올램프에 불을 붙이지 않았을 때	알코올램프에 불을 붙였을 때
비눗방울이 떨어짐.	비눗방울이 위로 올라감.

알코올램프 주변의
뜨거워진 공기가
위로 올라가기
때문이야.

③ **대류** : 온도가 높아진 물질이 위로 올라가고, 위에 있던 물질이 아래로 밀려 내려오는
과정. 액체나 기체에서 열이 이동하는 방법입니다.

Talk Talk

⏰ 📍 📶 .ıll 100%

열화상 사진기는 무엇인가요?

열이 높은 부분은
붉은색으로 보여요.

물체로부터 나오는 적외선을 감지해 온도에 따라 여러
가지 색깔로 보여주는 특수한 사진기예요.

열화상 사진기는 어디에 쓰이나요?

공항이나 사람이 많이 모이는 곳에서 전염병을 앓고 있어
열이 나는 사람을 즉시 찾을 수 있어요.

▲ 열화상 카메라로 찍은 공항에
줄을 선 사람들

1일 온도 측정하기

1 다음 중 물질의 차갑거나 따뜻한 정도를 숫자에 단위를 붙여 나타낸 것은 어느 것입니까?

(   )

① 열   ② 대류   ③ 온도
④ 습도   ⑤ 전도

2 다음 중 여러 가지 온도계에 대한 설명으로 옳은 것은 어느 것입니까? (   )

① 귀 체온계는 전문가만 사용할 수 있다.
② 적외선 온도계는 눈금이 매겨져 있다.
③ 컵의 온도를 측정할 때는 알코올 온도계를 사용한다.
④ 적외선 온도계는 기체의 온도를 측정하는 데 편리하다.
⑤ 알코올 온도계는 고리, 몸체, 액체샘으로 이루어져 있다.

3 오른쪽 알코올 온도계의 온도는 몇 ℃인지 읽으시오. (단, 소수 첫째 자리까지 읽습니다.)

섭씨 (   ) 도

2일 열의 이동

서술형

4 다음은 온도가 다른 두 물질이 접촉했을 때 나타나는 현상입니다. 밑줄 친 부분에 알맞은 내용을 쓰시오.

온도가 다른 두 물질이 접촉했을 때
(1) 온도가 높은 물질은 온도가 _____ .
(2) 온도가 낮은 물질은 온도가 _____ .

5 오른쪽은 얼음 위에 올려놓은 생선입니다. 이때 열은 어디에서 어디로 이동하는지 화살표로 바르게 나타낸 것의 기호를 쓰시오.

(   )

6 다음은 온도가 다른 두 물질이 접촉할 때 온도가 변하는 까닭입니다. □ 안에 알맞은 말을 쓰시오.

| ❶ [   ] 이/가 두 물질 사이에서 ❷ [   ] 하기 때문입니다. |

3일 **고체에서 열의 이동**

7 다음과 같은 모양의 열 변색 붙임딱지를 붙인 구리판을 가열할 때 열 변색 붙임딱지의 색깔이 변하는 방향을 화살표로 바르게 나타낸 것의 기호를 쓰시오. (● : 가열 위치)

(   )

8 다음 보기 에서 고체에서 열의 이동 방법에 대한 설명으로 옳은 것을 골라 기호를 쓰시오.

보기
㉠ 고체 물질에서는 열이 이동하지 않습니다.
㉡ 고체 물질이 끊겨 있어도 열은 그 방향으로 잘 이동합니다.
㉢ 온도가 높은 부분에서 온도가 낮은 부분으로 고체 물질을 따라 열이 이동합니다.

(   )

9 다음 보기 에서 열이 이동하는 빠르기를 바르게 설명한 것을 골라 기호를 쓰시오.

> 보기
> ㉠ 금속보다 유리에서 열이 더 빠르게 이동합니다.
> ㉡ 모든 고체 물질은 열이 이동하는 빠르기가 같습니다.
> ㉢ 금속의 종류에 따라 열이 이동하는 빠르기가 다릅니다.

(   )

10 다음 중 냄비의 몸체와 바닥이 금속으로 되어 있어 좋은 점으로 옳은 것은 어느 것입니까?

(   )

① 냄비가 단열이 잘 된다.
② 냄비를 가열하면 냄비가 차가워진다.
③ 냄비를 가열하면 냄비의 온도가 낮아진다.
④ 냄비를 가열할 때 냄비 전체로 열이 잘 이동한다.
⑤ 냄비를 가열할 때 바닥으로 열이 이동하지 않는다.

4일 액체와 기체에서 열의 이동

11 오른쪽과 같이 파란색 잉크의 아랫부분에 뜨거운 물이 담긴 종이컵을 놓았을 때 파란색 잉크는 어느 쪽으로 이동합니까?

(   )

① 위   ② 옆   ③ 아래
④ 사방   ⑤ 이동하지 않는다.

파란색 잉크
뜨거운 물이 담긴 종이컵

12 오른쪽과 같이 물이 담긴 주전자를 가열할 때 열의 이동을 바르게 설명한 친구의 이름을 쓰시오.

> 준영 : 위에 있는 물은 이동하지 않아.
> 민희 : 물에서는 대류를 통해 열이 이동해.
> 소리 : 주전자 바닥에 있는 물의 온도가 낮아져 위로 올라가.

(   )

13 다음 중 대류에 대한 설명으로 옳지 <u>않은</u> 것은 어느 것입니까? (   )

① 액체에서는 대류를 통해 열이 이동한다.
② 기체에서는 대류를 통해 열이 이동한다.
③ 고체에서는 대류를 통해 열이 이동한다.
④ 난방 기구를 한 곳에만 켜 놓아도 대류에 의해 집 안 전체의 공기가 따뜻해진다.
⑤ 온도가 높아진 물질이 위로 올라가고, 위에 있던 물질이 아래로 밀려 내려오는 과정이다.

14 다음 중 집 안 한 곳에 켜 놓은 난로 주변의 공기의 움직임으로 옳은 것을 골라 기호를 쓰시오.

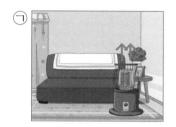  

(   )

똑똑한 하루 퀴즈

15 다음 십자말풀이를 해 보세요.

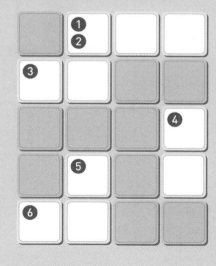

➡️가로
❶ 온도를 측정할 때 사용하는 도구
❸ 고체에서 열의 이동 방법
❻ 일정한 모양과 부피를 가지고 있는 물질의 상태

⬇️세로
❷ 물질의 차갑거나 따뜻한 정도
❹ 온도가 높아진 물질이 위로 이동하는 열의 이동 방법
❺ 물, 기름과 같은 물질의 상태

1 다음과 관련 있는 것은 어느 것입니까?
( )

> • ℃ • 섭씨도
> • 물질의 차갑거나 따뜻한 정도

① 길이 ② 무게 ③ 온도
④ 시간 ⑤ 물질의 상태

2 다음 여러 장소의 물질의 온도를 측정할 때 쓰임새에 맞는 온도계를 줄로 바르게 이으시오.

(1) 교실의 벽 · · ㉠ 귀 체온계

(2) 교실의 기온 · · ㉡ 알코올 온도계

(3) 교실의 어항 속 물 · · ㉢ 적외선 온도계

3 오른쪽 귀 체온계의 온도를 바르게 읽은 것은 어느 것입니까? ( )

① 삼 육 오 도
② 섭씨 삼십육 점
③ 삼십육 점 오 도
④ 섭씨 삼십육 점 오 도
⑤ 삼십육 점 오 섭씨도

4 다음은 알코올 온도계의 사용 방법입니다.
( ) 안의 알맞은 말에 ○표를 하시오.

(1) (고리 / 몸체)에 실을 매달아 스탠드에 겁니다.
(2) (몸체 / 액체샘)을/를 비커에 담근 물에 넣습니다.
(3) 온도계의 빨간색 액체가 더 이상 움직이지 않을 때 온도계의 (눈금 / 높이)을/를 읽습니다.

5 다음과 같이 장치하고, 1분마다 두 물질의 온도를 측정한 결과로 옳은 것은 어느 것입니까?
( )

알코올 온도계
차가운 물이 담긴 음료수 캔
따뜻한 물이 담긴 비커

① 차가운 물의 온도가 낮아진다.
② 따뜻한 물의 온도가 높아진다.
③ 차가운 물과 따뜻한 물의 온도가 낮아진다.
④ 시간이 지나면 차가운 물과 따뜻한 물의 온도가 같아진다.
⑤ 차가운 물과 따뜻한 물의 온도 변화가 없다.

6 다음 중 온도가 다른 두 물질이 접촉할 때 앞 **5**번과 같은 결과가 나타나는 까닭으로 옳은 것에 ○표를 하시오.

(1) 온도가 높은 물질에서 온도가 낮은 물질로 열이 이동하기 때문입니다. (   )

(2) 온도가 낮은 물질에서 온도가 높은 물질로 열이 이동하기 때문입니다. (   )

(3) 온도가 다른 두 물질이 접촉하더라도 열은 이동하지 않기 때문입니다. (   )

7 다음은 얼음 위에 생선을 올려놓을 때 열이 이동하는 방향입니다. (   ) 안에 들어갈 알맞은 물질을 바르게 짝지은 것은 어느 것입니까? (   )

• 열의 이동 방향 : (㉠) ➡ (㉡)

	㉠	㉡		㉠	㉡
①	얼음	생선	②	생선	얼음
③	얼음	얼음	④	생선	생선

⑤ 알 수 없다.

8 다음과 같이 구리판을 가열할 때 열의 이동 방향을 화살표로 나타내시오.

(1)

(2)

(3)

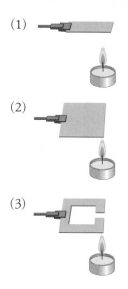

9 다음과 같이 파란색 잉크의 아랫부분에 뜨거운 물이 담긴 종이컵을 놓았을 때 파란색 잉크의 움직임을 화살표로 나타내시오.

차가운 물

뜨거운 물이 담긴 종이컵

10 다음 물질에서 열이 이동하는 방법을 줄로 바르게 이으시오.

(1) 고체 • • ㉠ 단열

(2) 액체 • • ㉡ 대류

(3) 기체 • • ㉢ 전도

1주 특강

생활 속 과학

보온병의 원리를 통해 열의 이동에 대해 살펴봅니다.

보온병은 어떻게 일정한 온도를 유지할까?

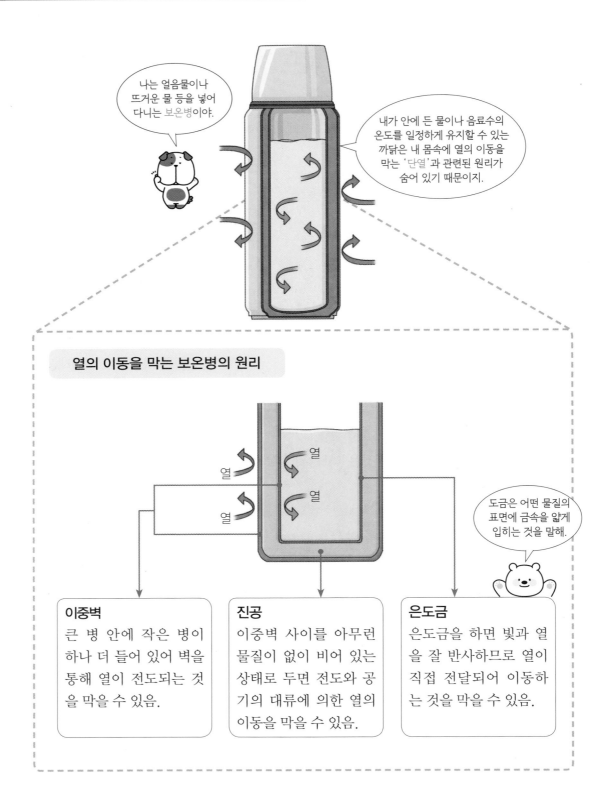

나는 얼음물이나 뜨거운 물 등을 넣어 다니는 보온병이야.

내가 안에 든 물이나 음료수의 온도를 일정하게 유지할 수 있는 까닭은 내 몸속에 열의 이동을 막는 '단열'과 관련된 원리가 숨어 있기 때문이지.

열의 이동을 막는 보온병의 원리

도금은 어떤 물질의 표면에 금속을 얇게 입히는 것을 말해.

이중벽
큰 병 안에 작은 병이 하나 더 들어 있어 벽을 통해 열이 전도되는 것을 막을 수 있음.

진공
이중벽 사이를 아무런 물질이 없이 비어 있는 상태로 두면 전도와 공기의 대류에 의한 열의 이동을 막을 수 있음.

은도금
은도금을 하면 빛과 열을 잘 반사하므로 열이 직접 전달되어 이동하는 것을 막을 수 있음.

① 찬영이는 보물을 찾기 위해 비밀의 방에 들어왔어요. 설명에 맞는 정답을 따라가면 보물이 들어 있는 방을 찾을 수 있어요. 보물이 들어 있는 방은 몇 번인지 쓰세요.
(단, 설명이 맞다고 생각하면 ➡, 틀리다고 생각하면 ➡ 화살표를 따라 갑니다.)

보물이 들어 있는
방의 번호

정답

사고 쑥쑥

1주 특강

여러 물질의 온도 측정하기를 통해 쓰임새에 맞은 온도계를 살펴봅니다.

2 다음 친구들은 학교 운동장에서 여러 가지 물체의 온도를 재고 있어요. 쓰임새에 맞는 온도계를 사용하여 온도를 측정하는 친구는 ○표, 쓰임새에 맞지 <u>않는</u> 온도계를 사용하여 온도를 측정하는 친구는 △표를 하세요.

3 다음은 고체, 액체, 기체 물질에서 열이 이동하는 방법을 찾아가는 사다리예요. 빈 칸에 들어갈
알맞은 열의 이동 방법을 각각 쓰세요.

1주 특강 논리 탄탄

코딩 명령을 통해 고체 물질의 종류에 따라 열이 이동하는 빠르기를 살펴봅니다.

4 다음과 같이 단계 에 따라 입력되는 수나 글자가 바뀌는 기계가 있습니다. 각 수가 단계 를 통과해 나오는 수를 쓰고, 그 수에 해당하는 물질을 찾아 쓰시오.

단계 1 백의 자리 숫자가 짝수이면 100 큰 수, 홀수이면 100 작은 수를 보냅니다.

단계 2 천의 자리 숫자가 일의 자리 숫자보다 작으면 두 숫자의 자리를 바꾸어 보내고, 그렇지 않으면 그대로 보냅니다.

단계 3 단계 2 에서 온 수에 해당하는 물질을 씁니다.

단계 4 열이 더 빠르게 이동하는 것을 씁니다.

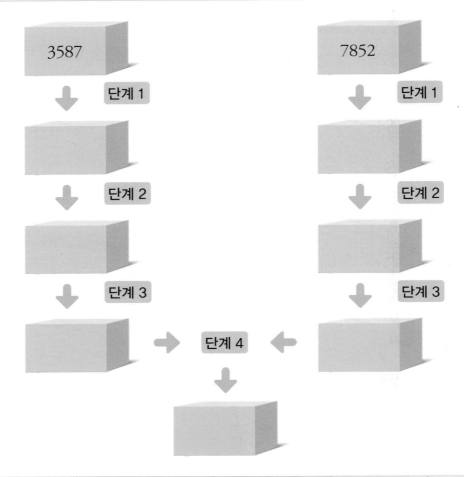

나온 수	6534	2567	7952	1125	7483
물질	유리	플라스틱	철	나무	구리

순서도를 통해 열이 이동하는 모습을 살펴봅니다.

5 최고남과 장대한은 자연어를 참고하여 열의 이동 방법에 관한 순서도를 만들려고 합니다. 순서도의 빈칸에 들어갈 말을 보기에서 골라 순서도를 완성하세요.

자연어	순서도
열이 이동한다.	열이 이동한다.
열의 이동 방법을 찾는다.	열의 이동 방법을 찾는다.
물질이 직접 이동하는가? 보기 • 단열 • 대류 • 전도	예 ← 물질이 직접 이동하는가? → 아니요 ❶ _____ ❷ _____
열이 전달된다.	열이 전달된다.

태양계와 별

이번 주에는 무엇을 공부할까? ❶

뭐 하세요?

태양계에 대해 공부 중이야.

태양계에서 별은 태양뿐이야.

© Jurgen Ziewe/shutterstock.com

안 되겠어. 밖에 나가서 다른 별들을 관찰할래.

저도 가요.

항상 볼 수 있는 북쪽 하늘의 별자리를 찾아볼까!

자, 잘 보이도록 선으로 이어 줄게.

우아~ 북두칠성이에요.

저 별자리를 이용하면 북극성의 위치를 찾을 수 있어.

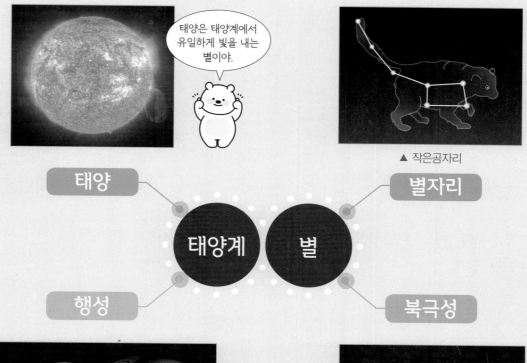

태양은 태양계에서 유일하게 빛을 내는 별이야.

▲ 작은곰자리

태양

별자리

태양계 별

행성

북극성

토성

해왕성

천왕성

수성 화성 금성 지구

목성

▲ 태양계 행성들

← 북극성

북극성은 위치가 거의 변하지 않아.

태양계의 구성원과 특징, 북쪽 밤하늘의 별자리를 이용해 북극성을 찾는 방법은 꼭 기억해!

태양
太陽
클**태** 볕**양**

똣 태양계 중심에 있으며 태양계에서 유일하게 빛을 내는 천체

예 **태양**이 없었다면 지구는 차갑게 얼어붙었을 것이에요.

태양계
太陽系
클**태** 볕**양** 이을**계**

똣 태양과 태양의 영향을 받는 천체들 그리고 그 공간

예 태양, 행성, 위성, 소행성, 혜성 등은 **태양계**의 구성원이에요.

천체는 우주에 있는 별, 행성, 위성, 소행성 등을 모두 가리키는 말이야.

우리는 행성 형제들이야.

행성
行星
다닐**행** 별**성**

똣 태양 주위를 도는 둥근 천체

예 태양계 **행성**에는 수성, 금성, 지구, 화성, 목성, 토성, 천왕성, 해왕성이 있어요.

나는 지구의 위성인 달이야.

위성
衛星
지킬**위** 별**성**

똣 행성 주위를 도는 천체

예 목성과 토성은 표면이 기체로 되어 있고 여러 개의 **위성**을 가지고 있어요.

태양계와 별과 관련된 다양한 용어가 있어.
특히 태양계, 행성, 북극성 등의 용어는 꼭 기억해!

별

뜻 스스로 빛을 내는 천체

예 별은 매우 먼 거리에 있기 때문에 반짝이는 작은 점으로 보여요.

밤하늘에서 반짝이는 것에는 별도 있지만 행성도 있어.

별자리

뜻 별의 무리를 구분해 이름을 붙인 것

예 북쪽 밤하늘에서 볼 수 있는 **별자리**에는 북두칠성, 카시오페이아자리 등이 있어요.

북극성

北 極 星
북녘 북 다할 극 별 성

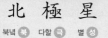
← 북극성

북극성은 움직이지 않아.

뜻 항상 정확한 북쪽에 있어 나침반 역할을 하는 별

예 사계절 내내 언제나 북쪽 밤하늘에서 북극성을 찾을 수 있어요.

지구는 태양계의 구성원이에요.

태양은 스스로 빛을 내는 별이지.

태양이 별이라고?

그러면 태양도 다른 어디에선가는 작은 별로 보일까?

1일 태양계

방 안의 큰 구슬들은 무엇일까?

용어 체크

태양
태양계 중심에 있으며 태양계에서 유일하게 빛을 내는 천체

예 식물은 ❶[   ] 빛이 있어야 양분을 만들 수 있다.

태양계
태양과 태양의 영향을 받는 천체들 그리고 그 공간

예 ❷[   ]는 태양, 행성, 위성, 소행성, 혜성 등으로 구성된다.

정답 ❶ 태양 ❷ 태양계

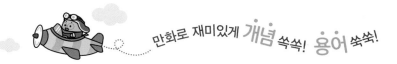
행성은 태양 주위를, 위성은 행성 주위를 돌아!

가운데 나처럼 밝게 빛나는 구슬이 태양이란 말이지?

네? 네~ 맞아요.

바닥을 살펴보면 동그랗게 파인 부분이 보이시죠?

오~ 누르니까 살짝 안으로 들어간다.

이런 곳이 여덟 군데 있어요.

구슬도 여덟 개였는데?

수성, 금성, 지구, 화성, 목성, 토성, 천왕성, 해왕성

태양 주위를 도는 ◉ 행성도 여덟 개죠.

자 그러면 여러분들은 여덟 개의 구슬을 굴려 자리에 넣으세요.

나는 행성 주위를 도는 ◉ 위성 같은 작은 구슬을 찾아 봐야겠어요.

힘든 일 하기 싫어서 그러는 거 아니에요?

용어 체크

◉ **행성**
태양 주위를 도는 둥근 천체

예 지구는 태양계의 여러 [①＿＿＿] 중 하나 이다.

◉ **위성**
행성의 주위를 도는 천체

예 지구 주위를 도는 위성은 [②＿＿＿]이다.

정답 ❶ 행성 ❷ 달

1 태양은 우리에게 어떤 영향을 줄까?

우리가 **살아가는** 데 **필요한 대부분의 에너지는** ❶(달 / **태양**)에서 얻습니다.

2 태양계는 어떻게 구성되어 있을까?

태양	행성	위성
태양계의 중심에 있으며, 태양계에서 유일하게 빛을 내는 천체	지구처럼 태양 주위를 도는 천체	달처럼 행성의 주위를 도는 천체

지구의 위성이다.

태양계의 구성원에는 **태양,** ❷(별 / **행성**), **위성, 소행성, 혜성** 등이 있습니다.

3 태양계 행성들은 어떤 특징이 있을까?

🌐 태양계 행성의 특징

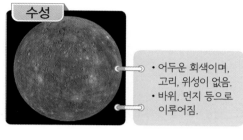

수성

• 어두운 회색이며, 고리, 위성이 없음.
• 바위, 먼지 등으로 이루어짐.

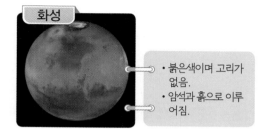

화성

• 붉은색이며 고리가 없음.
• 암석과 흙으로 이루어짐.

위성이 여러 개 있다.

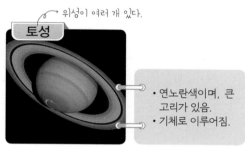

토성

• 연노란색이며, 큰 고리가 있음.
• 기체로 이루어짐.

천왕성

• 청록색이며, 세로 방향의 희미한 고리가 있음.
• 가스로 이루어짐.

🌐 태양계 행성의 분류 예

땅	[분류 기준] 표면의 상태	기체
수성, 금성, 지구, 화성		목성, 토성, 천왕성, 해왕성

행성을 분류할 수 있는 기준에는 표면의 상태, 고리 등이 있어.

☑ 행성에는 **표면이** ❸(땅 / 플라스틱)**으로 되어 있는 행성도 있고, 기체로 되어 있는 행성도 있습니다.**

정답 ❶ 태양 ❷ 행성 ❸ 땅

개념 체크

○ 정답과 풀이 5쪽

1 ☐☐ 이/가 없었다면 지구는 차갑게 얼어붙었을 것입니다.

2 태양계의 구성원에는 태양, 행성, 위성, ☐☐☐, 혜성 등이 있습니다.

3 천왕성은 표면이 ☐☐(으)로 되어 있는 행성입니다.

보기
• 고체   • 기체
• 수성   • 태양
• 북극성   • 소행성

개념 확인하기

● 정답과 풀이 5쪽

1 다음 중 우리가 살아가는 데 필요한 에너지의 대부분을 얻는 것은 어느 것입니까? (   )

① 달   ② 금성   ③ 수성

④ 태양   ⑤ 화성

2 다음 보기 에서 태양이 생물에게 소중한 까닭으로 옳은 것을 골라 기호를 쓰시오.

보기

㉠ 태양 빛을 많이 쬐면 병에 걸리기 때문입니다.

㉡ 동물은 태양 빛을 이용해 양분을 스스로 만들기 때문입니다.

㉢ 태양이 없었다면 지구는 차갑게 얼어붙었을 것이기 때문입니다.

(   )

3 다음 중 태양계에 대한 설명으로 옳지 <u>않은</u> 것은 어느 것입니까? (   )

① 지구는 태양계에 속해 있다.

② 태양은 태양계의 중심에 있다.

③ 목성은 태양계에 포함되지 않는다.

④ 태양계는 태양, 행성, 위성, 소행성, 혜성 등으로 구성된다.

⑤ 태양과 태양의 영향을 받는 천체들 그리고 그 공간을 말한다.

4 다음 중 태양계의 행성이 <u>아닌</u> 것은 어느 것입니까? (   )

①
▲ 토성

②
▲ 화성

③
▲ 혜성

④
▲ 천왕성

⑤
▲ 수성

5 다음 중 위성인 것을 골라 기호를 쓰시오.

▲ 달

▲ 목성

▲ 수성

(   )

6 다음 행성과 표면의 상태를 줄로 바르게 이으시오.

(1)
수성, 금성
지구, 화성
·

· ㉠
표면에
땅이 있음.

(2)
목성, 토성,
천왕성, 해왕성
·

· ㉡
표면이 기체로
되어 있음.

똑똑한 하루 퀴즈

7 다음 □ 안에 들어갈 알맞은 낱말을 말 상자에서 찾아 모두 ○표를 하세요. 말 상자의
낱말은 가로, 세로, 대각선에 숨어 있어요.

양	분	☆	☆
☆	위	땅	고
행	성	☆	리
태	양	계	☆

❶ 식물이 □□을 만드는 데 태양 빛이 필요함.
❷ 태양과 태양의 영향을 받는 천체들 그리고 그 공간을 □□□라고 함.
❸ 지구처럼 태양 주위를 도는 천체. □□
❹ 달처럼 행성 주위를 도는 천체. □□
❺ 화성과 금성은 표면에는 □이 있음.

태양계 행성의 크기와 행성까지의 거리

태양계 행성을 크기로 구분해 볼까?

그럼 아무 구슬이나 놓으면 돼?

행성의 크기에 맞게 구슬을 올려놓아야 문이 열릴 것 같아요.

이 구슬이 어떤 행성을 나타내는지 알 수가 있어야지.

그거야 행성들의 크기를 비교하면 알 수 있죠.

가장 큰 구슬은 **목성**이고요. 큰 것부터 차례대로 토성, 천왕성, 해왕성, 지구, **금성**, 화성, 수성 이에요.

자자, 거의 다 끝나가요.

드디어 문이 열렸다!

뭐야? 복도를 지나고 나서 또 문이 있잖아.

용어 체크

목성

태양계 행성 중 크기가 가장 큰 행성

예 목성, 토성, 천왕성, 해왕성은 비교적 크기가 ❶ [　　　] 행성이다.

금성

태양계 행성 중 지구와 크기가 가장 비슷한 행성

예 태양계 행성 중 지구에서 거리가 가장 가까운 행성은 ❷ [　　　] 이다.

정답 ❶ 큰　❷ 금성

태양에서 거리가 가장 가까운 행성은 어느 것일까?

 **용어 체크**

수성

태양계 행성 중 태양에서 가장 가까운 거리에 있는 행성

예 ❶[____], 금성, 지구, 화성은 비교적 크기가 작은 행성이다.

해왕성

태양계 행성 중 태양으로부터 가장 먼 거리에 있는 행성

예 화성, 목성, 토성, 천왕성, ❷[____]은 태양에서 지구보다 멀리 있는 행성이다.

정답 ❶ 수성 ❷ 해왕성

1 태양계 행성의 크기는 어떻게 비교할까?

🌐 태양과 지구의 크기

지구

태양의 반지름은
지구의 반지름보다
약 109배 커.

🌐 태양계 행성의 상대적인 크기

목성, 토성, 천왕성, 해왕성은 비교적 크기가 크고,
수성, 금성, 지구, 화성은 비교적 크기가 작음.

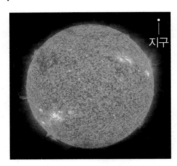

태양계 행성 중
목성이 가장 크고,
수성이 가장 작아.

지구가 반지름
1 cm인 구슬의 크기라면
목성은 축구공, 배구공
정도의 크기라고
할 수 있어.

토성 9.4

해왕성 3.9　천왕성 4.0

목성 11.2

수성 0.4　화성 0.5　금성 0.9　지구 1.0

▲ 지구의 반지름을 1로 보았을 때 태양계 행성의 상대적인 크기

| 행성의 크기 순서 | 목성 > 토성 > 천왕성 > 해왕성 > 지구 > 금성 > 화성 > 수성 |

지구보다 큰 행성

지구보다 작은 행성

| 상대적인 크기가 비슷한 행성 | 수성 – 화성 | 금성 – 지구 | 해왕성 – 천왕성 |

✓ 행성의 상대적인 크기는 지구의 반지름을 ❶(1 / 100)(으)로 보았을 때를 기준으로 비교합니다.

2 태양계 행성은 태양에서 얼마나 떨어져 있을까?

🌐 지구에서 태양까지 가는 데 걸리는 시간

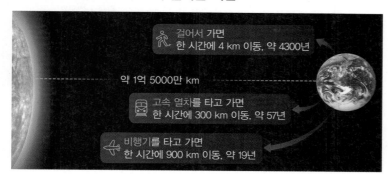

약 1억 5000만 km

🚶 걸어서 가면
한 시간에 4 km 이동, 약 4300년

🚄 고속 열차를 타고 가면
한 시간에 300 km 이동, 약 57년

✈ 비행기를 타고 가면
한 시간에 900 km 이동, 약 19년

태양은 지구에서 매우 멀리 떨어져 있어.

🌐 태양에서 행성까지의 상대적인 거리 비교

태양에서 지구까지의 거리를 1로 보았을 때 상대적인 거리로 비교한다.

수성 0.4　금성 0.7　지구 1.0　화성 1.5

태양

태양에서 가장 가까운 행성은 수성, 가장 먼 행성은 해왕성이야.

목성 5.2　토성 9.6　천왕성 19.1　해왕성 30.0

태양에서 거리가 멀어질수록 행성 사이의 거리도 멀어져.

☑ 수성, 금성, 지구, 화성은 목성, 토성, 천왕성, 해왕성에 비해 상대적으로 태양 ❷(멀리 / **가까이**)에 있습니다.

정답 ❶ 1　❷ 가까이

🐻 **개념 체크**

◇ 정답과 풀이 5쪽

1 태양계 행성 중 가장 큰 것은 [　][　]입니다.

2 지구보다 작은 행성은 수성, 금성, [　][　]입니다.

3 태양에서 가장 가까운 행성은 [　][　]입니다.

보 기

• 수성　　• 지구
• 화성　　• 금성
• 목성　　• 토성

2일 개념 확인하기

○ 정답과 풀이 5쪽

1 오른쪽은 태양과 지구의 크기를 비교한 모습입니다. 다음 중 태양의 반지름은 지구의 반지름보다 몇 배 정도입니까? (　　　)

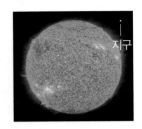
지구

① 10배
② 50배
③ 109배
④ 200배
⑤ 500배

2 다음은 지구에서 태양까지 가는 데 걸리는 시간에 대한 설명입니다. ㉠, ㉡에 들어갈 알맞은 말을 각각 쓰시오.

> 지구에서 태양까지 가는데 고속 열차를 타고 가면 약 57년이 걸리고, 비행기를 타고 가면 약 19년이 걸립니다. 이처럼 태양은 지구에서 매우 ⎡ ㉠ ⎤ 떨어져 있어 지구에서 태양까지 가는 데 ⎡ ㉡ ⎤ 시간이 걸립니다.

㉠ (　　　　　　　　) ㉡ (　　　　　　　　)

3 다음 중 태양에서 가장 멀리 떨어져 있는 행성은 어느 것입니까? (　　　)

①
▲ 금성

②
▲ 목성

③
▲ 토성

④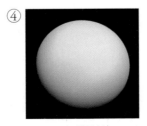
▲ 천왕성

⑤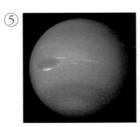
▲ 해왕성

4 다음 보기 에서 태양에서 행성까지의 상대적인 거리에 대한 설명으로 옳지 않은 것을 골라
기호를 쓰시오.

보기

ㄱ 태양에서 거리가 멀어질수록 행성 사이의 거리도 멀어집니다.

ㄴ 목성, 토성, 천왕성, 해왕성은 상대적으로 태양 가까이에 있습니다.

ㄷ 태양에서 지구까지의 거리를 1로 보았을 때 상대적인 거리로 비교합니다.

(   )

집중 연습 문제 태양계 행성의 상대적인 크기 비교

5 다음 태양계 행성 중 가장 작은 것을 골라 기호를 쓰시오.

▲ 수성

▲ 지구

▲ 천왕성

(   )

지구의 크기를 1이라고
할 때, 행성들의 상대적인
크기를 생각해 봐.

6 다음은 태양계 행성 중 비교적 크기가 작은 행성들의 모습입니다.
지구, 화성과 상대적인 크기가 비슷한 행성을 각각 쓰시오.

▲ 수성   ▲ 금성   ▲ 지구   ▲ 화성

(1) 지구와 상대적인 크기가 비슷한 행성 : (   )

(2) 화성과 상대적인 크기가 비슷한 행성 : (   )

지구의 크기를
1, 화성의 크기를
0.5라고 할 때 수성과
금성의 상대적인
크기는 얼마일까?

• 지구 1 ➡ 금성 ◯

• 화성 0.5 ➡ 수성 ◯

밤하늘의 별과 별자리

용어 체크

별

스스로 빛을 내는 천체

[예] 밤하늘에서 [①_____] 은 항상 같은 위치에서 움직이지 않는 것처럼 보인다.

별자리

별의 무리를 구분해 이름을 붙인 것

[예] [②_____] 는 별을 연결해 사람, 동물, 물건의 모습을 떠올려 이름을 붙인 것이다.

정답 ① 별 ② 별자리

🐻❓ 밤하늘의 별을 찾아 보자!

아무튼 빠져나갈 수 있는 방법을 알려줘.

맞아 게임이라고 했으니 우리에게도 기회를 줘야지.

하늘을 봐. 정말 아름답지 않나?

어둡고 주변이 탁 트여서 별을 ○관측하기 아주 좋지?

갇혀있어서 그렇지 분위기는 낭만적이긴 하네.

젊었을 때 연애하던 시절이 생각나는군.

그렇게 감성에 빠져있을 시간이 아니라고요!

여기를 나가는 방법은 저 망원경으로 별을 관측하면 돼.

어떤 별이요?

하늘에서 위치가 변하지 않는 별이 있지.

망원경으로 그 별을 찾으면 문이 열릴 거야.

🐻 용어 체크

○ **관측**

눈, 기계 등을 이용하여 천체나 날씨 등의 상태, 변화 등을 관찰하고 측정하는 일

예 여러 날 동안 같은 밤하늘을 [①　　　]했을 때 위치가 변하지 않는 것은 별이다.

▲ 별을 관측하는 모습

정답 ① 관측

1 별자리는 어떻게 만들어졌을까?

🌐 별과 별자리

└─ 태양처럼 스스로 빛을 내는 천체

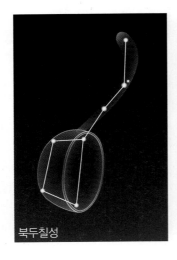

북두칠성

작은곰자리

카시오페이아자리

> 밤하늘에 무리 지어 있는 별을 연결해 사람이나 동물 또는 물건의 모습으로 떠올리고 이름을 붙인 것을 별자리라고 해.

> 별자리의 모습과 이름은 지역과 시대에 따라 달라.

🌐 별자리 관측

> 북쪽 밤하늘에서 북두칠성, 작은곰자리, 카시오페이아자리 등을 관찰할 수 있어.

북두칠성

북극성

카시오
페이아자리

서   북   동

별자리 관측시 주의할 점

• 별이 보일 만큼 충분히 어두워진 때에 관측해야 함.

• 주변이 탁 트이고 밝지 않은 곳이 별을 관측하기에 적당함.

• 주변 건물이나 나무 등의 위치를 표시하고 별자리의 위치와 모양을 표시함.

☑ 별자리는 옛날 사람들이 ⁰(별 / 행성)의 무리를 구분해 이름을 붙인 것입니다.

2 행성과 별은 어떻게 다를까?

별은 지구에서 매우 먼 거리에 있기 때문에 움직이지 않는 것처럼 보여.

첫째 날 초저녁 서

7일 뒤 초저녁 서

15일 뒤 초저녁 서

별이 반짝이는 점으로 보이는 까닭은 태양보다 너무 멀리 떨어져 있기 때문이야.

별에 비해 금성, 화성, 목성, 토성은 지구로부터 떨어져 있는 거리가 가깝기 때문에 별보다 더 밝고 또렷이 보여.

15일 뒤   7일 뒤   첫째 날

- 여러 날 동안 천체의 위치를 표시한 투명 필름 세 장을 겹쳐보면 **위치가 변한 천체가 행성**임.
- 행성은 별보다 지구에 가까이 있기 때문에 별자리 사이에서 위치가 서서히 변함.

☑ 여러 날 동안 밤하늘을 관측하면 ②(별 / 행성)은 위치가 거의 변하지 않지만, ③(별 / 행성)은 위치가 조금씩 변합니다.

정답 ❶ 별   ❷ 별   ❸ 행성

개념 체크

○ 정답과 풀이 6쪽

1 밤하늘의 별을 무리 지어 이름붙인 것은 □□□ 입니다.

2 별은 지구에서 □□□□ 거리에 있습니다.

3 □□ 은 밤하늘에서 위치가 서서히 변합니다.

보기
- 태양
- 행성
- 가까운
- 매우 먼
- 별자리
- 태양계

1 다음 중 밤하늘에 무리 지어 있는 별을 연결해 사람이나 동물 또는 물건의 모습으로 떠올리고 이름을 붙인 것을 뜻하는 것은 어느 것입니까? (   )

① 별   ② 위성   ③ 태양
④ 행성   ⑤ 별자리

2 다음 보기 에서 별과 별자리에 대한 설명으로 옳지 <u>않은</u> 것을 골라 기호를 쓰시오.

> 보기
> ㉠ 작은곰자리와 북두칠성은 별자리입니다.
> ㉡ 목성처럼 스스로 빛을 내는 천체를 별이라고 합니다.
> ㉢ 별자리의 모습과 이름은 지역과 시대에 따라 다릅니다.

(   )

3 다음 중 별과 별자리 관측에 대한 설명으로 옳은 것은 어느 것입니까? (   )

① 태양이 떠 있는 낮에 관측한다.
② 태양이 지기 시작하는 때가 관측하기에 가장 좋다.
③ 별은 높은 건물이 많고, 불빛이 많은 곳에서 잘 보인다.
④ 주변이 탁 트이고 밝지 않은 곳이 별을 관측하기에 적당하다.
⑤ 별을 관측할 때 주변 건물이나 나무 등의 위치는 표시하지 않고 별자리만 표시한다.

4 다음 별자리의 이름을 쓰시오.

(   )

5 다음과 같이 여러 날 동안 밤하늘을 관측했을 때 위치가 조금씩 변하는 것(빨간색 원 안)은 별과 행성 중 어느 것인지 쓰시오.

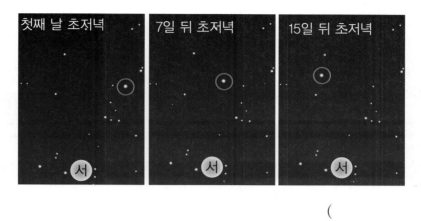

(   )

6 다음을 별과 행성에 대한 설명에 맞게 줄로 바르게 이으시오.

(1)   별 •

(2)   행성 •

•㉠ 지구에서 매우 먼 거리에 있음.

•㉡ 상대적으로 지구로부터 가까운 거리에 있음.

똑똑한 하루 퀴즈

7 다음 □ 안에 들어갈 알맞은 낱말을 말 상자에서 찾아 모두 ○표를 하세요. 말 상자의 낱말은 가로, 세로, 대각선에 숨어 있어요.

지	☆	거	별
☆	역	리	자
관	측	☆	리
☆	행	성	☆

❶ 밤하늘에 무리 지어 있는 별을 연결해 사람, 동물 등의 모습으로 떠올리고 이름을 붙인 것. □□□

❷ 별자리의 모습과 이름은 □□과 시대에 따라 다름.

❸ 주변이 탁 트이고 밝지 않은 곳이 별을 □□하기에 적당함.

❹ □□은 별보다 지구에 가까이 있기 때문에 별자리 사이에서 위치가 서서히 변함.

4일 북극성 찾기

밤에 길을 잃었다면?

그럼 난 이만!

위치가 변하지 않는 별이라니……. 좀 더 힌트를 줘!

저 알 것 같아요. 위치가 거의 변하지 않는 별!

저도요!

그것은 최고의 자리에서 내려오지 않는 별, 바로 나지!

그건 아닌 것 같아요.

밤하늘에서 위치가 변하지 않고 빛나는 별은 ◉북극성이에요.

북극성?

옛날에는 북극성을 보며 방위를 알아냈다는 말을 들은 적이 있어요.

그럼 북극성의 위치만 알면 되겠군. 어디 있는지 알아?

그건 저도 잘…….

용어 체크

◉ **북극성**

항상 정확한 북쪽에 있어 나침반 역할을 하는 별

예 옛날에 바다 한가운데서 밤에 길을 잃으면 [①]을 이용해 방위를 알아냈다.

← 북극성

정답 ① 북극성

2주

북극성을 찾아볼까?

용어 체크

카시오페이아자리

북극성을 중심으로 북두칠성의 맞은편에 있는 엠(M)자나 더블유(W)자 모양의 별자리

예 카시오페이아자리는 에티오피아 왕비의 이름을 딴 ❶[   ]이다.

북두칠성

큰곰자리의 꼬리에 해당하는 7개의 별로, 국자 모양의 별자리

예 북두칠성은 ❷[   ] 하늘에서 보이는 별자리이다.

정답 ❶ 별자리 ❷ 북쪽

4일 개념 익히기

1 북쪽 밤하늘에서는 어떤 별자리가 보일까?

🌐 북극성

옛날 사람들은 낮에는 태양, 밤에는 별을 보고 방위를 알 수 있었어.

나침반 역할을 한다.
북극성은 정확한 북쪽에 항상 있기 때문에 북극성을 찾으면 방위를 알 수 있어.

북쪽 밤하늘의 별자리는 언제나 북쪽 밤하늘에서 보이기 때문이야.

🌐 북쪽 밤하늘 별자리

북두칠성

국자 모양임.

카시오페이아자리

엠(M)자나 더블유(W)자 모양임.

✔️ 북쪽 밤하늘에서는 북두칠성, ⁰(사자자리 / 카시오페이아자리) 등의 별자리가 보입니다.

2 북극성은 어떻게 찾을 수 있을까?

🌐 북두칠성을 이용해 북극성 찾기

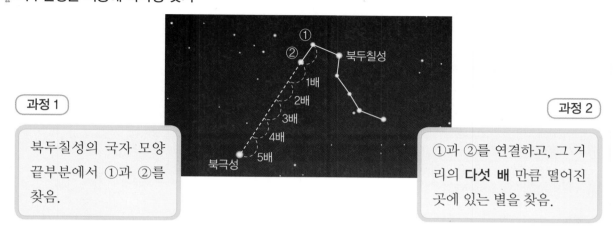

과정 1

북두칠성의 국자 모양 끝부분에서 ①과 ②를 찾음.

과정 2

①과 ②를 연결하고, 그 거리의 **다섯 배** 만큼 떨어진 곳에 있는 별을 찾음.

🌐 카시오페이아자리를 이용해 북극성 찾기

과정 1

카시오페이아자리에서 바깥쪽 두 선을 연장해 만나는 점 ㉠을 찾음.

과정 2

㉠과 ㉡을 연결하고, 그 거리의 **다섯 배**만큼 떨어진 곳에 있는 별을 찾음.

☑ 북극성은 북쪽 밤하늘 별자리인 ❷(북두칠성 / 백조자리)과/와 카시오페이아자리를 이용해 찾을 수 있습니다.

정답 ❶ 카시오페이아자리 ❷ 북두칠성

🐻 개념 체크

○─ 정답과 풀이 6쪽

1 옛날 사람들은 밤에 ☐ 을/를 보고 방위를 알 수 있었습니다.

2 ☐☐☐ 은 정확한 북쪽에 있는 별입니다.

3 북두칠성과 카시오페이아자리는 ☐ 쪽 밤하늘 별자리입니다.

보기
• 남   • 북
• 별   • 해
• 천왕성   • 북극성

1 다음은 옛날 사람들이 방위를 알 수 있는 방법에 대한 설명입니다. ☐ 안에 들어갈 알맞은 말을 쓰시오.

> 나침반이 발명되기 전, 옛날 사람들은 낮에는 태양을 보고, 밤에는 ☐을/를 보고 방위를 알 수 있었습니다.

( )

2 다음 보기에서 북극성에 대한 설명으로 옳지 <u>않은</u> 것을 골라 기호를 쓰시오.

> 보기
> ㉠ 정확한 북쪽에 항상 있는 별입니다.
> ㉡ 남쪽 밤하늘에서 찾을 수 있는 별입니다.
> ㉢ 북극성을 찾으면 방위를 알 수 있습니다.

( )

3 다음 별자리의 이름을 각각 쓰시오.

㉠
▲ 국자 모양임.

㉡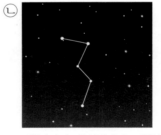
▲ 엠(M)자나 더블유(W)자 모양임.

( )　( )

4 다음 중 위 **3**번 별자리들을 볼 수 있는 밤하늘은 어느 쪽입니까? ( )

① 동쪽　　　　② 서쪽　　　　③ 남쪽
④ 북쪽　　　　⑤ 남서쪽

5 다음 별자리를 이용해 북극성을 찾을 때 북극성의 위치로 옳은 것은 어느 것입니까? (   )

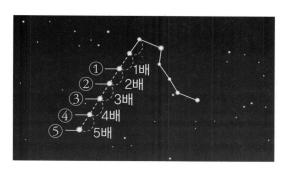

6 다음은 카시오페이아자리를 이용해 북극성을 찾는 방법입니다. ㉠과 ㉡ 거리의 몇 배 떨어진 곳에 북극성이 있는지 쓰시오.

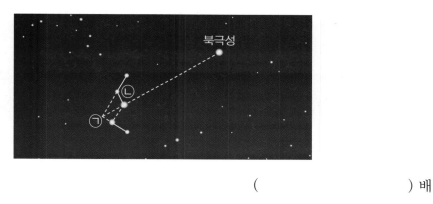

(   ) 배

7 다음 □ 안에 들어갈 알맞은 낱말을 말 상자에서 찾아 모두 ○표를 하세요. 말 상자의 낱말은 가로, 세로, 대각선에 숨어 있어요.

북	극	성	☆
쪽	두	☆	엠
☆	별	칠	☆
더	블	유	성

1. 옛날 사람들은 밤에 □을 보고 방위를 알 수 있었음.
2. □□□은 정확한 북쪽에 항상 있음.
3. 북쪽 밤하늘 별자리는 언제나 □□ 하늘에서 보임.
4. 국자 모양의 별자리는 □□□□임.
5. 카시오페이아자리는 □자나 □□□자 모양임.

태양이 없으면 우리는 살기 어려워.

1 태양계

① 우리가 살아가는 데 필요한 대부분의 에너지는 태양에서 얻습니다.

② 태양계

뜻	태양과 태양의 영향을 받는 천체들 그리고 그 공간
구성원	태양, 행성, 위성, 소행성, 혜성 등

③ 태양계 행성 : 수성, 금성, 지구, 화성, 목성, 토성, 천왕성, 해왕성

2 태양계 행성의 크기와 행성까지의 거리

① 지구의 반지름을 1로 보았을 때 태양계 행성의 상대적인 크기

② 지구보다 작은 행성과 큰 행성

지구보다 큰 행성	지구보다 작은 행성
목성, 토성, 천왕성, 해왕성	수성, 금성, 화성

③ 태양에서 지구까지의 거리를 1로 보았을 때 태양에서 행성까지의 상대적인 거리

행성	상대적인 거리	행성	상대적인 거리
수성	0.4	목성	5.2
금성	0.7	토성	9.6
지구	1.0	천왕성	19.1
화성	1.5	해왕성	30.0

지구에서 거리가 가장 가까운 행성은 금성이야.

④ 태양에서 지구보다 가까이 있는 행성과 멀리 있는 행성

• 태양에서 지구보다 가까이 있는 행성 : 수성, 금성
• 태양에서 지구보다 멀리 있는 행성 : 화성, 목성, 토성, 천왕성, 해왕성

⑤ 태양에서 거리가 멀어질수록 행성 사이의 거리도 멀어집니다.

3 별과 별자리

별자리의 모습은 지역과 시대에 따라 달라.

① **별** : 태양처럼 스스로 빛을 내는 천체

② **별자리** : 밤하늘에 무리 지어 있는 별을 연결해 사람이나 동물 또는 물건의 모습으로 떠올리고 이름을 붙인 것

③ **행성과 별의 차이점** : 여러 날 동안 밤하늘을 관측하면 별은 위치가 거의 변하지 않지만, 행성은 위치가 조금씩 변합니다.

4 북극성 찾기

① **북극성** : 항상 북쪽 밤하늘에서 보이기 때문에 나침반 역할을 합니다.

② **북쪽 하늘의 별자리를 이용해 북극성을 찾는 방법**

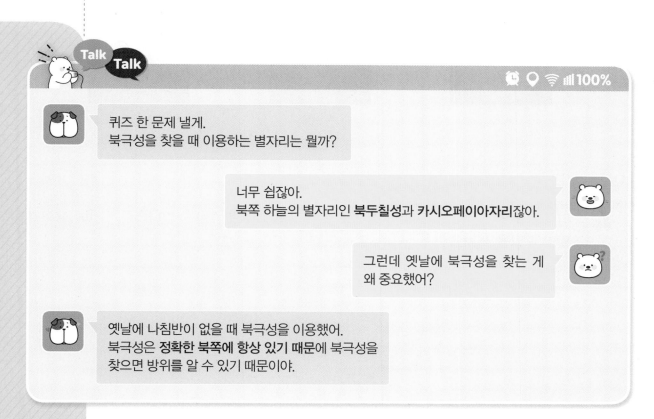

카시오페이아자리에서 ㉠과 ㉡을 연결하고, 그 거리의 다섯 배 만큼 떨어진 곳에 있는 별을 찾음.

북두칠성의 별 ①과 ②를 연결하고, 그 거리의 다섯 배 만큼 떨어진 곳에 있는 별을 찾음.

🔔 📍 📶 📊 **100%**

🐶 퀴즈 한 문제 낼게.
북극성을 찾을 때 이용하는 별자리는 뭘까?

너무 쉽잖아.
북쪽 하늘의 별자리인 **북두칠성과 카시오페이아자리**잖아. 🐻

그런데 옛날에 북극성을 찾는 게 왜 중요했어? 🐻

🐶 옛날에 나침반이 없을 때 북극성을 이용했어.
북극성은 **정확한 북쪽에 항상 있기** 때문에 북극성을 찾으면 방위를 알 수 있기 때문이야.

5일 2주 마무리하기 문제

1일 태양계

1 다음 중 태양이 생물에게 소중한 까닭으로 옳지 <u>않은</u> 것은 어느 것입니까? (   )

① 밝은 낮에 야외에서 뛰어 놀 수 있다.
② 식물이 양분을 만드는 데 도움을 준다.
③ 태양이 없다면 지구는 매우 뜨거울 것이다.
④ 태양 빛으로 바닷물이 증발해 소금이 만들어진다.
⑤ 태양은 물이 순환하는 데 필요한 에너지를 공급한다.

2 다음에서 설명하는 것은 무엇인지 쓰시오.

> 태양과 태양의 영향을 받는 천체들 그리고 그 공간을 말합니다.

(   )

3 다음 중 태양계 행성을 골라 기호를 쓰시오.

ㄱ
▲ 달

ㄴ
▲ 목성

ㄷ
▲ 혜성

(   )

4 다음은 태양계 행성을 표면의 상태를 분류 기준으로 분류한 것입니다. □ 안에 들어갈 알맞은 말을 쓰시오.

☐		[분류 기준] 표면의 상태		기체
수성, 금성, 지구, 화성				목성, 토성, 천왕성, 해왕성

(   )

2일 태양계 행성의 크기와 행성까지의 거리

5 다음 태양계 행성을 지구보다 큰 행성과 지구보다 작은 행성에 맞게 줄로 바르게 이으시오.

(1) 수성, 금성, 화성 • • ㉠ 지구보다 큰 행성

(2) 목성, 토성, 천왕성, 해왕성 • • ㉡ 지구보다 작은 행성

6 다음 중 상대적인 크기가 지구와 가장 비슷한 행성은 어느 것입니까? (   )

①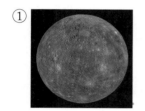
▲ 수성

②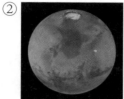
▲ 화성

③
▲ 금성

④
▲ 목성

⑤
▲ 토성

서술형

7 오른쪽은 태양에서 지구까지의 거리를 1로 보았을 때 태양에서 행성까지의 상대적인 거리를 나타낸 것입니다. 태양에서 행성까지의 상대적인 거리를 보고 알 수 있는 특징을 쓰시오.

행성	상대적인 거리	행성	상대적인 거리
수성	0.4	목성	5.2
금성	0.7	토성	9.6
지구	1.0	천왕성	19.1
화성	1.5	해왕성	30.0

2주

8 다음 중 태양처럼 스스로 빛을 내는 천체를 무엇이라고 합니까? (   )

① 달   ② 별   ③ 지구
④ 행성   ⑤ 혜성

9 다음에서 별자리에 대한 설명으로 옳은 것에는 ○표, 옳지 않은 것에는 ×표를 하시오.

(1) 별자리의 모습과 이름은 지역과 시대에 따라 다릅니다.   (   )
(2) 별자리는 사람이나 동물의 모습을 떠올려 만들지 않았습니다.   (   )
(3) 옛날 사람들이 밤하늘의 별을 무리 지어 이름을 붙인 것입니다.   (   )

10 다음 보기 에서 행성과 별에 대한 설명으로 옳지 않은 것을 골라 기호를 쓰시오.

> 보기
>
> ㉠ 별은 지구에서 매우 먼 거리에 있기 때문에 움직이지 않는 것처럼 보입니다.
> ㉡ 행성은 별보다 지구에 가까이 있기 때문에 별자리 사이에서 위치가 서서히 변합니다.
> ㉢ 별이 밤하늘에서 반짝이는 작은 점으로 보이는 까닭은 실제로 크기가 매우 작기 때문입니다.

(   )

11 다음은 밤하늘에서 북극성이 중요한 까닭에 대한 설명입니다. ☐ 안에 들어갈 알맞은 말은 어느 것입니까? (   )

> 북극성은 정확한 ☐ 쪽에 있어 나침반 역할을 하므로 중요합니다.

① 동   ② 서   ③ 남
④ 북   ⑤ 남서

12 다음 별자리 모양과 이름을 줄로 바르게 이으시오.

(1)

(2)

• ㉠ 북두칠성

• ㉡ 카시오페이아자리

13 다음 별자리를 이용해 북극성을 찾는 방법에서 북극성은 어느 것입니까? (   )

똑똑한 하루 퀴즈

14 다음 십자말풀이를 해 보세요.

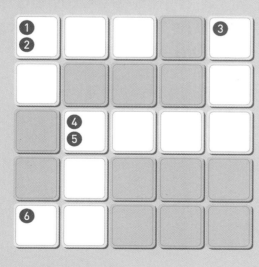

➡️가로
❶ 태양과 태양의 영향을 받는 천체들과 그 공간
❹ 국자 모양의 별자리
❻ 행성 주위를 도는 천체

⬇️세로
❷ 태양계에서 유일하게 빛을 내는 천체
❸ 태양에서 가장 멀리 있는 행성
❺ 정확한 북쪽에 항상 있는 별

1 다음 보기 에서 태양이 소중한 까닭으로 옳은 것을 골라 기호를 쓰시오.

보기
ㄱ 태양이 없으면 동물만 살 수 있기 때문입니다.
ㄴ 바닷물을 증발시켜 설탕을 만들 수 있기 때문입니다.
ㄷ 태양이 없었다면 지구는 차갑게 얼어붙었을 것이기 때문입니다.

( )

2 다음 태양계에 대한 설명으로 옳은 것에는 ○표, 옳지 않은 것에는 ×표를 하시오.

(1) 태양계의 중심은 지구입니다. ( )
(2) 태양계의 구성원에는 태양, 행성, 위성, 소행성, 혜성 등이 있습니다. ( )
(3) 태양과 태양의 영향을 받는 천체들 그리고 그 공간을 태양계라고 합니다.

( )

3 다음 중 지구보다 크기가 작은 행성을 골라 기호를 쓰시오.

▲ 화성

▲ 목성

( )

4 다음 태양계 행성 중 가장 큰 것은 어느 것입니까? ( )

①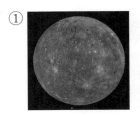
▲ 수성

②
▲ 금성

③
▲ 목성

④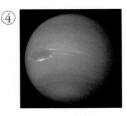
▲ 해왕성

⑤
▲ 지구

5 다음은 태양에서 지구까지의 거리를 1로 보았을 때 태양에서 행성까지의 상대적인 거리를 나타낸 것입니다. ㉠, ㉡에 들어갈 알맞은 행성을 각각 쓰시오.

행성	상대적인 거리	행성	상대적인 거리
㉠	0.4	목성	5.2
금성	0.7	토성	9.6
지구	1.0	천왕성	19.1
화성	1.5	㉡	30.0

㉠ ( ) ㉡ ( )

6 다음은 별자리에 대한 설명입니다. ☐ 안에 들어갈 알맞은 말을 쓰시오.

> 밤하늘에 무리 지어 있는 ☐ 을/를 연결해 사람이나 동물 또는 물건의 모습으로 떠올리고 이름을 붙인 것을 별자리라고 합니다.

(   )

7 다음 별자리의 이름은 무엇인지 쓰시오.

(   )

8 다음 중 행성과 별에 대한 설명으로 옳지 <u>않은</u> 것은 어느 것입니까? (   )

① 별은 움직이지 않는 것처럼 보인다.
② 별은 지구에서 매우 먼 거리에 있다.
③ 금성, 화성은 별보다 더 밝게 보인다.
④ 행성은 별자리 사이에서 위치가 변하지 않는다.
⑤ 별이 반짝이는 점으로 보이는 까닭은 태양 보다 너무 멀리 떨어져 있기 때문이다.

9 다음 중 북쪽 밤하늘에서 볼 수 있는 별자리로, 국자 모양을 닮은 별자리는 어느 것입니까?

(   )

①   ▲ 북두칠성   ②   ▲ 사자자리

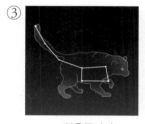 

③   ▲ 작은곰자리   ④   ▲ 카시오페이아자리

10 어느 날 밤 북쪽 밤하늘의 별자리가 다음과 같을 때 북극성의 위치로 옳은 것을 골라 기호를 쓰시오.

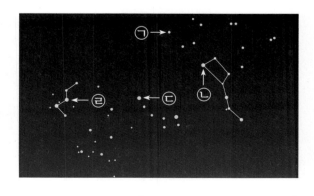

(   )

2주특강

생활 속 과학

퀴즈를 풀면서 태양계와 별에 대한 용어를 알아봅니다.

 퀴즈를 통해 알아보는 태양계와 별

1 다음에서 태양계와 별자리에 대한 퀴즈에서 정답을 알아맞힐 수 있도록 설명에 해당하는 낱말에 각각 ○표를 하세요.

2주 특강

태양계와 관계있는 용어의 뜻을 찾아 퍼즐을 맞춰봅니다.

2 다음 퍼즐에서 빠진 부분의 문제를 맞춰 퍼즐을 완성하세요.

❶ 달처럼 행성 주위를 도는 천체

❷ 태양과 태양의 영향을 받는 천체들 그리고 그 공간

❸ 태양에서 거리가 가장 가까운 행성

수성 · 위성 · 태양계

❶ ( ) ❷ ( ) ❸ ( )

윤미가 조사한 것을 통해 별과 별자리에 대해 알고, 북극성을 찾는 방법을 살펴봅니다.

3 다음은 윤미가 밤하늘에서 북극성을 찾는 방법과 북극성을 찾는 것이 중요한 까닭에 대해 조사하여 정리한 것이에요. 빈칸에 알맞은 말을 쓰세요.

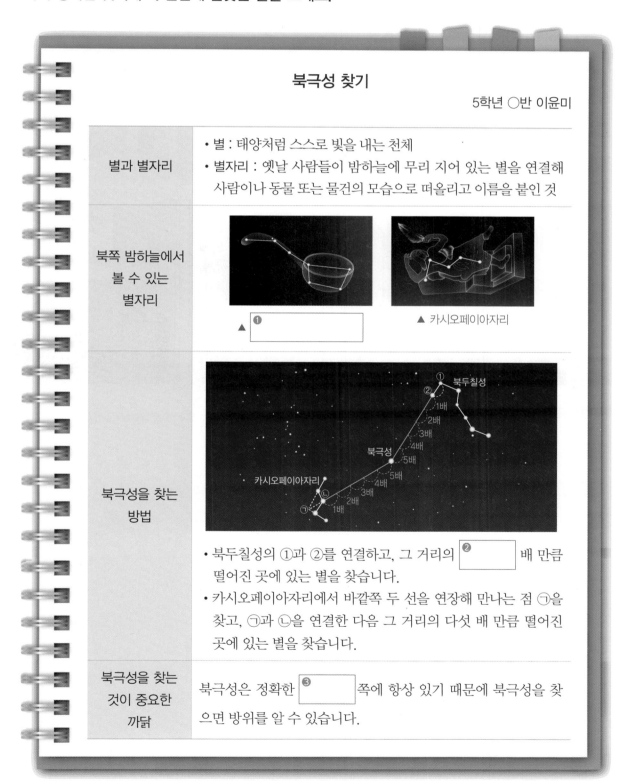

북극성 찾기	
	5학년 ○반 이윤미
별과 별자리	• 별 : 태양처럼 스스로 빛을 내는 천체 • 별자리 : 옛날 사람들이 밤하늘에 무리 지어 있는 별을 연결해 사람이나 동물 또는 물건의 모습으로 떠올리고 이름을 붙인 것
북쪽 밤하늘에서 볼 수 있는 별자리	▲ ❶ [ ]　　　　▲ 카시오페이아자리
북극성을 찾는 방법	• 북두칠성의 ①과 ②를 연결하고, 그 거리의 ❷[ ] 배 만큼 떨어진 곳에 있는 별을 찾습니다. • 카시오페이아자리에서 바깥쪽 두 선을 연장해 만나는 점 ㉠을 찾고, ㉠과 ㉡을 연결한 다음 그 거리의 다섯 배 만큼 떨어진 곳에 있는 별을 찾습니다.
북극성을 찾는 것이 중요한 까닭	북극성은 정확한 ❸[ ]쪽에 항상 있기 때문에 북극성을 찾으면 방위를 알 수 있습니다.

논리 탄탄

순서도를 통해 태양계 행성을 분류하는 방법을 알고 옳게 분류해 봅니다.

4 다음 두 친구가 나눈 대화를 보고 빈칸에 들어갈 말을 보기에서 골라 순서도를 완성하세요.

다음 만화를 통해 태양계와 행성에 대해 알아봅니다.

5 암호 해독표를 보고, 다음 만화 속 암호문을 풀어보세요.

암호 해독표													
①	②	③	④	⑤	⑥	⑦	⑧	⑨	⑩	⑪	⑫	⑬	⑭
ㄱ	ㄴ	ㄷ	ㄹ	ㅁ	ㅂ	ㅅ	ㅇ	ㅈ	ㅊ	ㅋ	ㅌ	ㅍ	ㅎ

A	B	C	D	E	F	G	H	I	J	K	L	M	N
ㅏ	ㅑ	ㅓ	ㅕ	ㅗ	ㅛ	ㅜ	ㅠ	ㅡ	ㅣ	ㅐ	ㅒ	ㅔ	ㅖ

해독한 암호문

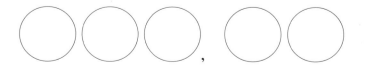

▲ 황색 각설탕이 물에 용해되는 모습

따뜻한 물 　　　차가운 물

▲ 온도에 따라 용질이 용해되는 양

용해 ━━━ **용해와 용액** ━━━ **용질**

용질마다
용해되는 양이 다르고,
용질은 따뜻한 물에
잘 녹아.

용질이 용매에
용해되면
용액이 되지.

용액

용액의 진하기 비교

묽은 용액 　　　진한 용액

▲ 색깔로 비교하기

묽은 용액 　　　진한 용액

▲ 물체가 뜨는 정도로 비교하기

어떤 것이 더
진한 용액인지
알 수 있어.

용액의 의미를 알고 용액의 진하기는
색깔, 물체가 뜨는 정도 등으로
비교할 수 있다는 걸 꼭 기억해!

3주 이번 주에는 무엇을 공부할까? ❷

용해

溶解
녹을 용 풀 해

뜻 물질이 물 등에 녹아 골고루 섞이는 일

예 코코아 가루를 따뜻한 물에 **용해**시키면 맛있는 코코아차가 만들어져요.

용액

溶液
녹을 용 진 액

시간이 지나면 미숫가루가 가라앉아.

뜻 용질이 용매에 골고루 섞여 있는 물질

예 식초는 **용액**이고, 미숫가루를 탄 물은 **용액**이 아니에요.

용질인 설탕이 용매인 물에 용해되면 설탕물 용액이 돼.

용질

溶質
녹을 용 물질 질

용질

뜻 소금이나 설탕처럼 녹는 물질

예 설탕을 물에 녹여 설탕물을 만들 때 설탕을 **용질**이 라고 해요.

용매

溶媒
녹을 용 중매 매

용매

뜻 물처럼 녹이는 물질

예 **용매**인 물에 소금을 계속 넣어 녹이면 어느 순간 부터는 더 이상 녹지 않고 가라앉아요.

용액과 관련된 다양한 용어가 있어.
용액, 용매, 용질, 용해를 구별해서 기억해!

무게

짐의 무게가 얼마인지 무게를 달아 보자.

뜻 물건의 무거운 정도

예 비행기 안에 실을 수 있는 짐의 **무게**는 정해져 있어요.

백반

白礬
흰 **백** 명반 **반**

뜻 피를 멎게 하거나 봉숭아물을 들일 때 사용되는 물질로, 무색투명한 결정. 명반이라고 불림.

예 봉숭아물을 들일 때 소금과 **백반**을 곱게 갈아 넣으면 손톱이 예쁘게 물들어요.

용액이 진하면 색깔이 더 진하고, 맛이 더 달고, 물체가 높이 떠.

진 하 기

津
넘칠 **진**

국물이 진해.

뜻 용액의 농도가 짙거나, 냄새나 맛의 강도가 강하거나, 색깔이 짙음을 뜻함.

예
• 국을 오래 끓였더니 국물맛이 **진**해요.
• 꽃병에 꽂힌 꽃향기가 **진**해요.

3
주

1일 용해와 용액

💭 이 액체에는 어떤 물질이 용해되어 있을까?

물이다! 목마른데 마셔야겠어.

잠깐! 아무거나 마시면 안 돼! 어떤 물질이 📍용해되어 있는지 알 수 없잖아!

여기 열쇠가 있는데 팔이 짧아서 손이 안 닿아요.

늘씬한 내가 꺼내주지.

잡았다! 역시 늘씬한 몸매의 소유자~

앗! 머리가 빠지지 않아.

머리가 너무 커.

머리가 큰 게 아니고 창살이 좁은 거야.

🐻 용어 체크

📍 **용해**

물질이 물 등에 녹아 골고루 섞이는 일

예 · 설탕은 높은 온도에서 잘 [①] 된다.

· 분말주스 가루가 물에 [②] 되어 맛있는 주스가 되었다.

▲ 분말주스 가루가 물에 용해되는 모습

정답 ❶ 용해 ❷ 용해

푸른색 용액의 이름은 뭐지?

유리 세정제는 미끄러우니까 얼굴에 바르면 빠질지도 모르겠어요.

좋은 생각이야.

둘 중의 하나는 이온 음료고 하나는 유리 세정제 같은데 색이 똑같네.

빨대를 넣고 불어보면 이온 음료는 거품이 안 나고 유리 세정제는 거품이 날 거야.

오, 맞다!

음~ 이 🔵용액은 유리 세정제구나!

이건 이온 음료인 것 같아.

그만 좀 불어요. 다른 사람은 더러워서 못 먹잖아요!

나 혼자 다 마실 거야~

🐼 용어 체크

📍 **용액**

용질이 용매에 골고루 섞여 있는 물질

예 탄산음료는 물에 이산화 탄소가 녹아 있는 [①]이다.

▲ 탄산음료

정답 ❶ 용액

▶ 실험 동영상

1 여러 가지 물질을 물에 넣으면 어떻게 될까?

물이 담긴 비커에 소금, 설탕, 멸치 가루를 각각 넣고 유리 막대로 저으면서 일어나는 변화를 관찰해.

소금과 **설탕**은 물에 녹음.

멸치 가루는 물과 섞여 뿌옇게 변함.

10분 후

물에 녹음.	물에 녹지 않음.

소금과 **설탕**은 투명하고, 뜨거나 가라앉은 것이 없음.

멸치 가루가 물 위에 뜨거나 바닥에 가라앉음.

소금과 설탕은 물과 골고루 섞여 잘 녹아.

멸치 가루는 물과 잘 섞이지 않고 잘 안 녹아.

☑ 물에 넣고 저었을 때 다 녹는 물질은 ❶(설탕 / 소금 / 멸치 가루)입니다.

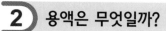 용액은 무엇일까?

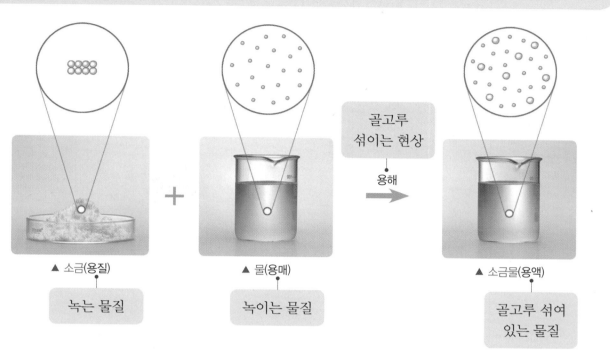

▲ 소금(용질)

녹는 물질

▲ 물(용매)

녹이는 물질

골고루 섞이는 현상

용해

▲ 소금물(용액)

골고루 섞여 있는 물질

- 소금이 물에 녹는 것처럼 어떤 물질이 다른 물질에 녹아 골고루 섞이는 현상은 **용해**임.
- 설탕물이나 소금물처럼 녹는 물질이 녹이는 물질에 골고루 섞여 있는 것은 **용액**임.
- 멸치 가루는 물에 녹지 않고 물에 뜨거나 가라앉으므로 용액이 아님.

 손 세정제, 이온 음료, 탄산음료, 유리 세정제, 식초 등은 용액이야.

 미숫가루 물, 우유 등은 용액이 아니야.

✓ 녹는 물질이 녹이는 물질에 골고루 섞여 있는 물질을 ❷(용해 / 용액)(이)라고 합니다.

정답 ❶ 설탕, 소금 ❷ 용액

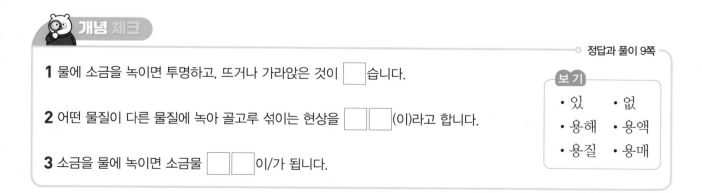

개념 체크

○ 정답과 풀이 9쪽

1 물에 소금을 녹이면 투명하고, 뜨거나 가라앉은 것이 [ ]습니다.

2 어떤 물질이 다른 물질에 녹아 골고루 섞이는 현상을 [ ][ ](이)라고 합니다.

3 소금을 물에 녹이면 소금물 [ ][ ]이/가 됩니다.

보 기

- 있   - 없
- 용해 - 용액
- 용질 - 용매

1 다음과 같이 소금, 설탕, 멸치 가루를 온도와 양이 같은 물에 각각 한 숟가락씩 넣고 충분한 시간 동안 저은 후 10분 동안 그대로 두었을 때, 물 위에 뜨거나 바닥에 가라앉는 물질이 있는 것을 골라 쓰시오.

(   )

2 다음은 물에 소금, 설탕, 멸치 가루를 두 숟가락씩 넣고 저을 때 일어나는 변화에 대한 설명입니다. 이와 같은 변화가 일어나는 물질을 두 가지 쓰시오.

> 물에 넣고 유리 막대로 저었더니 점점 사라지면서 투명해졌습니다.

(,   )

3 다음 용해, 용액, 용질, 용매에 대한 설명 중 옳은 것에는 ○표, 옳지 않은 것에는 ×표를 하시오.

(1) 용액은 어떤 물질에 녹는 물질입니다.   (   )

(2) 용매는 어떤 물질을 녹이는 물질입니다.   (   )

(3) 어떤 물질이 다른 물질에 녹아 골고루 섞이는 현상은 용해입니다.   (   )

4 다음은 설탕물에 대한 설명입니다. (   ) 안의 알맞은 말에 ○표를 하시오.

> 설탕물을 만들 때 물은 (용질 / 용매)입니다.

5 다음에서 설명하는 것은 어느 것입니까? (   )

> • 오래 두어도 뜨거나 가라앉는 것이 없습니다.
> • 녹는 물질과 녹이는 물질이 골고루 섞여 있습니다.

① 용질   ② 용매   ③ 용해
④ 용액   ⑤ 액체

6 다음은 소금물이 만들어지는 현상입니다. ☐ 안에 들어갈 알맞은 말을 쓰시오.

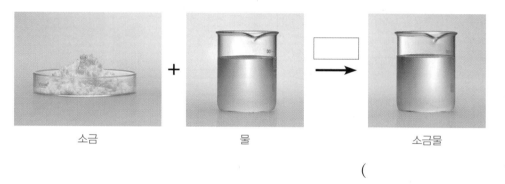

소금   물   소금물

(   )

똑똑한 **하루 퀴즈**

7 다음 ☐ 안에 들어갈 알맞은 낱말을 말 상자에서 찾아 모두 ○표를 하세요. 말 상자의 낱말은 가로, 세로, 대각선에 숨어 있어요.

멸	가	용	해
☆	기	액	질
루	설	체	☆
물	소	탕	명
고	☆	금	양

❶ 용질이 용매에 녹아 골고루 섞여 있는 물질. ☐☐

❷ 소금물을 만들 때 용질은 ☐☐임.

❸ 설탕은 물에 ☐☐되어 설탕물 용액이 됨.

2_일 용질의 용해

🐻❓ **설탕물의 무게가 가벼워지면 어떻게 하지?**

이번 방은 뭐지?

가운데 전시품목같은 것이 있어요.

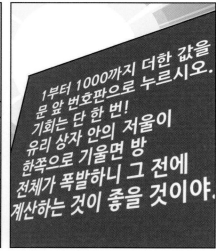

1부터 1000까지 더한 값을 문 앞 번호판으로 누르시오. 기회는 단 한 번! 유리 상자 안의 저울이 한쪽으로 기울면 방 전체가 폭발하니 그 전에 계산하는 것이 좋을 것이야.

각설탕이 서서히 녹고 있어요. 빨리 계산해야 해요.

저 안의 설탕이 녹으면 🔵**무게**가 줄어들어 반대쪽으로 기울 것이 분명해. 빨리 계산하자.

그건 속임수예요. 천천히 계산해도 돼요.

뭐라고?

🐻 **용어 체크**

🔵 **무게**

물건의 무거운 정도

예 마트에서는 저울로 채소의 ① [　　　　]를 달아 가격을 매겨 판매한다.

정답 ① 무게

물에 녹인 용질은 사라지지 않아!

용어 체크

용질

소금이나 설탕처럼 녹는 물질

예 **[①]** 이 물에 용해되면 물과 골고루 섞여 용액이 된다.

용매

물처럼 녹이는 물질

예 소금을 물에 녹일 때 **[②]** 는 물, 용질은 소금이다.

정답 ❶ 용질 ❷ 용매

5-1 • **103**

1 물에 넣은 각설탕은 시간이 지나면 어떻게 될까?

용해된 설탕은 눈에 보이지 않지만 물속에 있어.

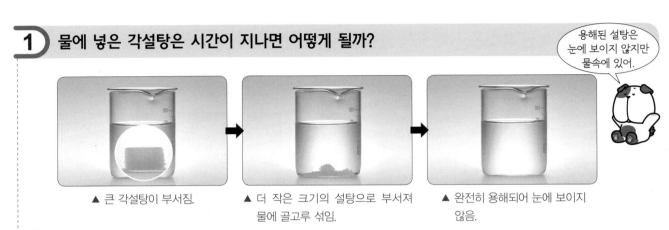

▲ 큰 각설탕이 부서짐.

▲ 더 작은 크기의 설탕으로 부서져 물에 골고루 섞임.

▲ 완전히 용해되어 눈에 보이지 않음.

☑ 각설탕을 물에 넣으면 더 **①(큰 / 작은)** 설탕으로 나뉘어 물과 골고루 섞입니다.

2 각설탕이 물에 용해되기 전과 후의 무게는 다를까?

▶ 실험 동영상

❶ 각설탕 / 물

물이 담긴 비커와 시약포지, 각설탕의 무게 측정하기

❷

각설탕을 물에 넣고 저어 완전히 녹이기

❸ 빈 시약포지 / 설탕물

설탕 용액이 담긴 비커와 빈 시약포지의 무게 측정하기

각설탕을 물에 녹이기 전 무게	각설탕을 물에 녹인 후 무게
142 g	142 g

＝

물에 용해된 설탕은 없어진게 아니라 물속에 남아 있기 때문이야.

각설탕이 물에 용해되기 전과 용해된 후의 **무게**는 같음.

☑ 설탕이 용해되기 전과 용해된 후의 무게는 **②(같습 / 다릅)**니다.

3 물질마다 용해되는 양이 같을까?

 온도와 양이 같은 물에 소금, 설탕, 베이킹 소다를 한 숟가락씩 더 넣으면서 유리 막대로 저어 용해되는 양을 관찰해 보자.

	소금	설탕	베이킹 소다	
한 숟가락 넣었을 때				셋 다 모두 용해됨.
두 숟가락 넣었을 때				소금과 설탕은 모두 용해되고, 베이킹 소다는 가라앉음.
여덟 숟가락 넣었을 때				소금은 가라앉고, 설탕은 모두 용해됨.

- 물의 온도가 양이 같을 때 용질마다 물에 용해되는 양이 다름.
- 용질이 용해되는 양 : 설탕>소금>베이킹 소다

☑ 물의 온도와 양이 같을 때 **용질마다 물에 용해되는 양이** ③(같습 / 다릅)니다.

정답 ❶ 작은 ❷ 같습 ❸ 다릅

🐼 개념 체크

정답과 풀이 9쪽

1 각설탕이 물에 용해되기 전과 용해된 후의 [ ][ ]은/는 같습니다.

2 여러 가지 용질이 물에 용해되는 양을 비교하기 위해서는 물의 [ ]와/과 온도를 같게 합니다.

3 온도와 양이 같은 물에 소금, 설탕, 베이킹 소다를 녹일 때 [ ][ ]이/가 가장 많이 용해됩니다.

보기
- 양
- 무게
- 소금
- 설탕

1 다음 보기 에서 각설탕을 물에 넣었을 때 관찰할 수 있는 모습으로 옳은 것을 골라 기호를 쓰시오.

> 보기
> ㉠ 각설탕의 크기가 점점 커집니다.
> ㉡ 각설탕이 작은 설탕 가루로 부서집니다.
> ㉢ 각설탕이 거품으로 변해 공기 중으로 사라집니다.

( )

2 오른쪽은 각설탕이 물에 용해되기 전과 용해된 후의 무게를 비교하는 실험입니다. >, =, <를 이용하여 무게를 비교하시오.

용해되기 전의 무게 용해된 후의 무게

3 설탕이 물에 용해되기 전의 설탕과 물의 무게가 142 g이었다면 설탕이 물에 용해된 후의 무게는 몇 g입니까? ( )

① 42 g ② 142 g ③ 152 g
④ 162 g ⑤ 172 g

4 다음은 여러 가지 용질이 물에 용해되는 양을 비교하는 실험에 대한 설명입니다. 옳은 것에는 ○표, 옳지 않은 것에는 ×표를 하시오.

(1) 물의 온도는 같게 해 주어야 하고, 물의 양은 다르게 해 주어야 합니다. ( )

(2) 설탕, 소금, 베이킹 소다가 온도와 양이 같은 물에 용해되는 양은 모두 같습니다.

( )

(3) 설탕, 소금, 베이킹 소다를 같은 양씩 넣어 물에 녹이면 베이킹 소다가 가장 잘 녹지 않습니다. ( )

5 다음 중 온도와 양이 같은 물에 소금, 설탕, 베이킹 소다를 각각 한 숟가락씩 넣고 유리 막대로 저으면서 변화를 관찰하였을 때 결과로 옳은 것은 어느 것입니까? (   )

① 소금은 바닥에 가라앉는다.　　　② 설탕은 바닥에 가라앉는다.

③ 세 용질이 모두 용해된다.　　　④ 베이킹 소다는 바닥에 가라앉는다.

⑤ 세 용질이 모두 바닥에 가라앉는다.

집중 연습 문제 여러 가지 용질이 물에 용해되는 양 비교하기

[6~7] 다음은 온도와 양이 같은 물에 소금, 설탕, 베이킹 소다를 한 숟가락씩 더 넣으면서 용해되는 양을 비교한 것입니다. 물음에 답하시오.

용질	약숟가락으로 넣은 횟수(회)							
	1	2	3	4	5	6	7	8
소금	○	○	○	○	○	○	○	△
설탕	○	○	○	○	○	○	○	○
베이킹 소다	○	△						

(용질이 다 용해된 것 : ○, 용질이 다 용해되지 않은 것 : △)

6 위의 실험에서 다르게 해 주어야 할 조건을 보기 에서 골라 기호를 쓰시오.

보기
```
㉠ 물의 양          ㉡ 물의 온도
㉢ 용질의 종류       ㉣ 용질 한 숟가락의 양
```

(   )

7 용질을 여덟 숟가락씩 넣어 용해시켰을 때 바닥에 가라앉는 용질 두 가지를 쓰시오.

(,   )

소금, 설탕, 베이킹 소다만 다르게 해 주면 돼!

△표시는 모두 용해되지 않았으므로 바닥에 가라앉아 있다는 뜻이야.

온도와 용질의 용해

온도가 너무 낮아!

용어 체크

온도

물질의 차갑거나 따뜻한 정도를 숫자에 단위를 붙여 나타낸 것

예 적당한 실내 ❶ [　　　] 는 공부할 때 집중력을 높여 준다.

영하

섭씨온도계에서 눈금이 0 ℃ 이하의 온도

예 겨울철 기온이 ❷ [　　　] 로 떨어져서 수도가 꽁꽁 얼어붙었다.

정답 ❶ 온도 ❷ 영하

백반으로 코피를 멈추게 할 수 있다고?

용어 체크

백반

피를 멎게 하거나 봉숭아물을 들일 때 사용되는 물질로, 무색투명한 결정.
명반이라고 불림.

예 ❶ ☐ 덩어리를 막자사발에 갈아 가루로 만들었다.

▲ 백반 결정

정답 ❶ 백반

▶ 실험 동영상

1 물의 온도에 따라 백반이 용해되는 양을 비교해 볼까?

🧪 실험 방법

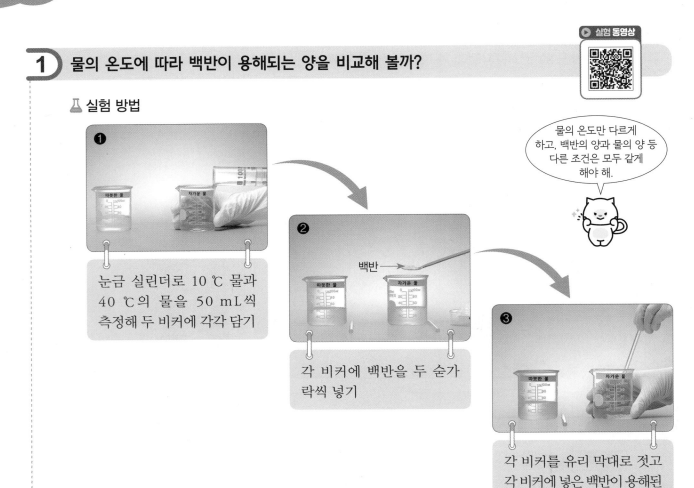

❶ 눈금 실린더로 10 ℃ 물과 40 ℃의 물을 50 mL씩 측정해 두 비커에 각각 담기

❷ 각 비커에 백반을 두 숟가락씩 넣기

❸ 각 비커를 유리 막대로 젓고 각 비커에 넣은 백반이 용해된 양 비교하기

물의 온도만 다르게 하고, 백반의 양과 물의 양 등 다른 조건은 모두 같게 해야 해.

🧪 실험 결과

| 따뜻한 물 | 차가운 물 |

백반이 다 용해되었어.

백반이 어느 정도 용해되다가 바닥에 남았어.

온도가 높으면 백반이 더 많이 용해됨.

✅ 같은 양의 10 ℃ 물과 40 ℃ 물 중 백반을 더 많이 녹일 수 있는 것은 ❶(10 / 40) ℃ 물입니다.

2 따뜻한 물에서 모두 용해된 백반 용액을 차갑게 하면 어떻게 될까?

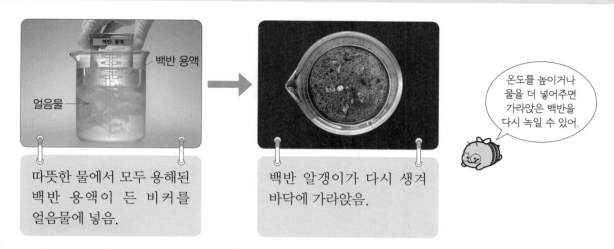

따뜻한 물에서 모두 용해된 백반 용액이 든 비커를 얼음물에 넣음.

백반 알갱이가 다시 생겨 바닥에 가라앉음.

온도를 높이거나 물을 더 넣어주면 가라앉은 백반을 다시 녹일 수 있어.

☑ 따뜻한 물에서 모두 용해된 백반을 ②(따뜻한 / 차가운) 물에 넣으면 백반 알갱이가 다시 생겨 바닥에 가라앉습니다.

3 바닥에 가라앉은 코코아 가루를 더 녹일 수 있을까?

전자레인지에 넣고 데워 코코아차의 온도를 높이면 돼.

☑ 물은 온도가 ③(높 / 낮)으면 코코아가 더 많이 용해됩니다.

정답 ❶ 40 ❷ 차가운 ❸ 높

🐻 **개념 체크**

◦ 정답과 풀이 10쪽

1 물의 온도가 ☐을수록 용질이 더 많이 용해됩니다.

2 따뜻한 물에서 모두 용해된 백반을 차갑게 하면 ☐☐ 알갱이가 다시 생깁니다.

3 코코아 가루가 다 안 녹았을 때 물의 ☐☐을/를 높이면 더 많이 녹일 수 있습니다.

보기
• 높   • 낮
• 백반   • 설탕
• 부피   • 온도

1 다음 중 물의 온도에 따라 백반이 용해되는 양을 비교하는 실험에서 다르게 해야 할 조건은 어느 것입니까? (   )

① 물의 양   ② 물의 온도   ③ 백반의 양

④ 비커의 크기   ⑤ 백반 알갱이의 크기

2 50 mL의 따뜻한 물과 차가운 물에 각각 백반을 두 숟가락씩 넣고 저었을 때의 결과를 줄로 바르게 이으시오.

(1) 따뜻한 물 •

(2) 차가운 물 •

• ㉠

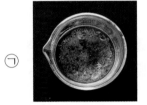

▲ 백반이 바닥에 남아 있음.

• ㉡

▲ 백반이 다 용해됨.

3 다음 중 위 **2**번의 결과로 알게 된 점을 바르게 말한 친구의 이름을 쓰시오.

주호 : 비커의 크기가 클수록 백반이 많이 녹아.
은수 : 백반이 녹는 양은 물의 양과는 관계가 없어.
수인 : 물의 온도에 따라 녹을 수 있는 백반의 양이 달라져.

(   )

4 다음은 백반이 용해되는 양에 영향을 주는 것에 대한 설명입니다. (   ) 안의 알맞은 말에 ○표를 하시오.

백반은 물의 온도가 높을수록 물에 용해되는 양이 (적어 / 많아)집니다.

5 다음 중 따뜻한 물에서 모두 용해된 백반 용액에 백반이 다시 생겨 가라앉게 하는 방법으로 가장 적당한 것은 어느 것입니까? (   )

① 백반 용액이 든 비커를 가만히 둔다.

② 백반 용액을 유리 막대로 저어 준다.

③ 백반 용액이 든 비커에 물을 더 넣는다.

④ 백반 용액이 든 비커를 얼음물에 넣는다.

⑤ 백반 용액이 든 비커를 뜨거운 물에 넣는다.

6 물에 코코아 가루를 넣고 녹였더니 코코아 가루가 바닥에 남아 있었습니다. 코코아 가루를 모두 용해시킬 수 있는 방법을 보기 에서 골라 기호를 쓰시오.

> 보기
>
> ㉠ 코코아차를 큰 컵으로 옮깁니다.
> ㉡ 코코아차에 차가운 물을 넣습니다.
> ㉢ 코코아차에 코코아 가루를 더 넣어 줍니다.
> ㉣ 코코아차를 전자레인지에 넣고 따뜻하게 만듭니다.

(   )

똑똑한 하루 퀴즈

7 다음 ☐ 안에 들어갈 알맞은 낱말을 말 상자에서 찾아 모두 ○표를 하세요. 말 상자의 낱말은 가로, 세로, 대각선에 숨어 있어요.

설	온	력	용
☆	탕	도	따
차	☆	뜻	코
가	한	용	명
운	해	압	☆

① 물의 온도에 따라 백반이 용해되는 양을 비교하는 실험에서 다르게 해야 할 조건은 물의 ☐☐임.

② 백반은 물의 온도가 높을수록 많이 ☐☐됨.

③ 코코아차를 만들 때 코코아 가루를 ☐☐☐ 물에 넣어야 잘 녹음.

달걀로 용액의 진하기를 알 수 있어?

용어 체크

◉ 진하기

용액의 농도가 짙거나, 냄새나 맛의 강도가 강하거나, 색깔이 짙음을 뜻함.

예 우리 조상들은 장을 담글 때 소금물에 달걀을 띄워 소금물의 ① ▢▢▢ 를 확인했다.

▲ 달걀로 소금물의 진하기를 확인하는 모습

정답 ① 진하기

어떤 것이 진한 용액일까?

달걀이 물 위에 뜨는군요. 이걸 보니 이 물은 **⚲진한 용액**이에요.

⚲묽은 용액이었다면 이렇게 달걀이 뜨지 않아요.

사람도 이 물에 뜰 수 있는지 물에 들어가 보세요.

정말? 난 수영을 못…해!

오호! 가만히 있으니 물에 뜬다.

뜰 수는 있는데 앞으로 가지를 못하네~

저도 계속 제자리에요.

이렇게 네 번만 왔다 갔다 하면 돼요.

말 걸지 마! 힘 빠져~

🐻 용어 체크

⚲ 진한 용액

색깔과 맛이 더 진하고, 무게가 더 무거우며, 물체가 높이 뜨는 용액

예 같은 양의 물에 녹인 설탕의 양이 많을수록 [❶] 이다.

⚲ 묽은 용액

색깔과 맛이 더 연하고, 무게가 더 가벼우며, 물체가 높이 뜨지 않는 용액

예 진한 용액에 물을 더 넣으면 [❷] 이 된다.

정답 ❶ 진한 용액 ❷ 묽은 용액

개념 익히기 용액의 진하기 비교

1 황설탕 용액으로 용액의 진하기를 비교해 볼까?

같은 양의 용매에 용해된 용질의 많고 적은 정도를 용액의 진하기라고 해.

같은 양의 물에 설탕이 많이 녹아 있을수록 진한 용액이야.

용액의 색깔

진한 용액

묽은 용액

진한 용액의 **색깔**이 더 **진함**.

진한 용액의 맛도 더 달아.

용액의 무게

진한 용액

묽은 용액

진한 용액이 더 **무거움**.

용액의 높이

진한 용액 　　　　 묽은 용액

진한 용액의 **높이**가 더 **높음**.

용액이 진할수록 황설탕 용액의 색깔이 [1](진 / 연)합니다.

2 투명한 용액의 진하기를 비교해 볼까?

🧪 실험 방법

 같은 양의 물에 한 비커에는 각설탕 한 개를 넣고, 다른 비커에는 각설탕 열 개를 용해시켜 진하기가 다른 용액을 만들자.

❶ 각설탕 한 개를 용해한 비커에 방울토마토를 넣고, 용액에서 뜨는 정도를 관찰하기

❷ 나무젓가락으로 방울토마토를 꺼내 화장지로 닦기

❸ 각설탕 열 개를 용해한 비커에 방울토마토를 넣고 용액에서 뜨는 정도 관찰하기

🧪 실험 방법

각설탕 한 개를 용해한 비커

방울토마토가 바닥에 가라앉았어.

각설탕 열 개를 용해한 비커

방울토마토가 물 위로 뜨네.

⬇

용액이 **진할수록** 물체가 **높이 뜸.**

☑ 각설탕 ❷(한 / 열) 개를 용해시킨 용액에서 방울토마토가 더 높이 뜹니다.

정답 ❶ 진 ❷ 열

🐻 개념 체크

◦ 정답과 풀이 10쪽

1 같은 양의 용매에 용해된 용질의 많고 적은 정도를 용액의 ☐하기 라고 합니다.

2 진한 용액의 무게가 더 ☐☐습니다.

3 물체를 띄웠을 때 용액이 ☐하면 물체가 높이 뜹니다.

보기
- 연
- 진
- 가볍
- 무겁

1 다음은 진하기가 다른 두 용액을 만드는 방법입니다. ( ) 안의 알맞은 말에 ○표를 하시오.

> 진하기가 다른 두 용액을 만들 때 용매의 양은 (같아야 / 달라야)하고, 용해된 용질의 양은 (같게 / 다르게) 합니다.

2 다음은 진하기가 다른 황설탕 용액입니다. 황설탕이 더 많이 용해된 용액의 기호를 쓰시오.

 ㉠

 ㉡

( )

3 다음 중 황설탕 용액의 진하기를 비교할 수 있는 용액의 특징으로 옳지 <u>않은</u> 것은 어느 것입니까? ( )

① 맛   ② 색깔   ③ 냄새
④ 무게   ⑤ 높이

4 다음 중 진하기가 다른 두 백설탕 용액의 진하기를 비교하는 방법으로 옳은 것을 두 가지 고르시오. (,)

① 용액의 무게를 재어 본다.
② 용액의 온도를 재어 본다.
③ 용액의 냄새를 맡아 본다.
④ 용액의 색깔을 비교해 본다.
⑤ 용액에 방울토마토를 띄워 본다.

5 다음은 진하기가 서로 다른 두 백설탕 용액에 방울토마토를 넣은 모습입니다. 방울토마토가 떠 있는 모습을 보고 백설탕이 더 많이 녹아 있는 용액을 골라 기호를 쓰시오.

ㄱ

ㄴ

(   )

집중 연습 문제 용액의 진하기 비교하기

6 진하기가 다른 두 황설탕 용액의 진하기를 비교할 때 진한 황설탕 용액의 특징으로 옳은 것을 보기 에서 골라 기호를 쓰시오.

보기
ㄱ 용액의 높이가 더 높습니다.
ㄴ 용액의 색깔이 더 연합니다.
ㄷ 용액의 맛을 보면 덜 답니다.
ㄹ 용액의 무게가 더 가볍습니다.

(   )

진한 용액의
특징은?

• 색깔이 더 ( )하다.

• 높이가 더 ( )다.

• 무게가 더 ( )다.

• 물체가 더 ( ) 뜬다.

용액이 진하면
물체가 높이 떠.

7 다음은 진하기가 서로 다른 세 백설탕 용액에 메추리알을 넣은 모습입니다. 메추리알이 떠 있는 모습을 보고 백설탕이 가장 적게 녹아 있는 용액을 골라 기호를 쓰시오.

ㄱ   ㄴ   ㄷ

(   )

1 용해와 용액

용질이 용매에 용해되어 용액이 되는 거야.

▲ 소금(용질)   ▲ 물(용매)   용해   ▲ 소금물(용액)

용해	어떤 물질이 다른 물질에 녹아 골고루 섞이는 현상 예 소금이 물에 녹는 현상
용액	녹는 물질이 녹이는 물질에 골고루 섞여 있는 물질 예 소금물
용질	녹는 물질 예 소금
용매	녹이는 물질 예 물

2 용질의 용해

구분	20 ℃의 물 50 mL에 용해되는 양		
	설탕	소금	베이킹 소다
두 숟가락 넣었을 때	다 용해됨.	다 용해됨.	가라앉음.
여덟 숟가락 넣었을 때	다 용해됨.	가라앉음.	−

➡ 용질의 종류에 따라 같은 온도와 양의 물에 용해되는 양이 다릅니다.

3 온도와 용질의 용해

물의 온도가 높을수록 용질이 더 많이 용해돼.

▲ 차가운 물

▲ 따뜻한 물

같은 양의 물에 같은 양의 백반을 각각 넣고 저으면 차가운 물에서는 백반이 다 용해되지 않지만, 따뜻한 물에서는 백반이 다 용해됨.

➡ 같은 용질이라도 온도에 따라 용해되는 양이 다릅니다.

4 용액의 진하기 비교

진한 용액은 색도, 맛도 진하고, 무겁고, 높이도 높아!

색깔로 비교하기

▲ 진한 용액

▲ 묽은 용액

➡ 색깔이 있는 용액은 용액이 진하면 색깔이 진함.

물체가 뜨는 정도로 비교하기

▲ 진한 용액

▲ 묽은 용액

➡ 용액이 진하면 물체를 넣었을 때 물체가 높이 뜸.

• 진한 용액일수록 무겁거나 용액의 높이가 높습니다.
• 맛을 볼 수 있는 경우 맛이 강할수록 진한 용액입니다.

Talk Talk

🔔 ◉ 📶 ▯▯100%

흔히 용액이라고 하면 소금이 물에 녹는 것과 같이 액체 용매에 고체 용질이 골고루 섞여 있는 혼합물이라고 생각하잖아.

용액 중에는 액체 용매에 기체 용질이 섞인 것도 있고, 고체 상태의 용액 또는 기체 상태의 용액도 있어.

응, 탄산음료도 액체인 물에 기체인 이산화 탄소가 골고루 섞인 용액이잖아.

맞아. 우리가 장신구로 쓰는 18k금은 순금에 다른 고체 용질이 섞인 고체 상태의 용액이라고 볼 수 있어.

1일 용해와 용액

1 다음은 소금물이 만들어지는 모습입니다. ㉠과 ㉡에 들어갈 알맞은 말을 각각 쓰시오.

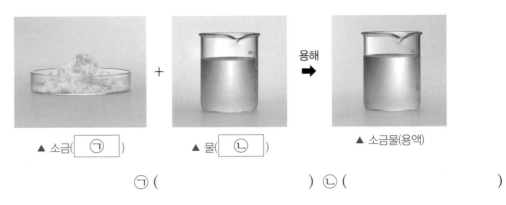

▲ 소금(㉠) + ▲ 물(㉡) 용해 ➡ ▲ 소금물(용액)

㉠ (   ) ㉡ (   )

2 다음 중 설탕을 물에 녹인 설탕물에 대해 바르게 설명한 친구의 이름을 쓰시오.

윤지 : 설탕은 물에 녹는 용질이야.
세훈 : 물은 설탕을 녹이는 용액이야.
정희 : 설탕물을 오래 두면 물에 가라앉거나 떠 있는 물질이 생겨.

(   )

3 다음 중 우리 생활에서 볼 수 있는 용액이 <u>아닌</u> 것은 어느 것입니까? (   )

① 식초   ② 탄산음료
③ 이온 음료   ④ 미숫가루 물
⑤ 유리 세정제

2일 용질의 용해

4 물에 넣은 각설탕이 시간이 흐름에 따라 변하는 모습에 대한 설명으로 옳지 않은 것을 보기 에서 골라 기호를 쓰시오.

보기
㉠ 물이 뿌옇게 흐려집니다.
㉡ 큰 각설탕이 작은 설탕 가루로 부서집니다.
㉢ 각설탕이 물에 용해되면 매우 작게 나뉘어 결국 눈에 보이지 않게 됩니다.

(   )

5 오른쪽과 같이 각설탕이 물에 용해되기 전과 용해된 후의 무게를 비교하였더니 모두 142 g으로 무게가 같았습니다. 이와 같은 결과가 나타나는 까닭으로 옳은 것에 ○표를 하시오.

(1) 설탕이 물에 용해되면서 설탕이 없어지기 때문입니다. (   )

(2) 설탕이 물에 용해되면 매우 작게 변하여 물속에 남아 있기 때문입니다. (   )

6 오른쪽은 온도와 양이 같은 물에 소금, 설탕, 베이킹 소다를 한 숟가락씩 더 넣으면서 용해되는 결과를 비교한 것입니다. 베이킹 소다를 두 숟가락 넣었을 때의 모습을 골라 기호를 쓰시오.

용질	약숟가락으로 넣은 횟수(회)							
	1	2	3	4	5	6	7	8
소금	○	○	○	○	○	○	○	△
설탕	○	○	○	○	○	○	○	○
베이킹 소다	○	△						

(용질이 다 용해되면 ○표, 용질이 다 용해되지 않으면 △표를 함.)

㉠

㉡

㉢

(   )

3일 온도와 용질의 용해

7 다음은 물의 온도에 따라 백반이 용해되는 양을 비교하는 실험 결과입니다. ㉠과 ㉡ 중 차가운 물에 용해된 백반의 기호를 쓰시오.

▲ 백반이 다 용해됨.

▲ 백반이 바닥에 남아 있음.

(   )

8 다음 중 위 **7**번 ㉡ 비커의 바닥에 가라앉은 백반을 모두 용해시킬 수 있는 방법으로 옳은 것을 두 가지 고르시오. (,   )

① 용액의 물을 덜어 낸다.
② 용액의 온도를 높여 준다.
③ 용액에 물을 더 넣어 준다.
④ 용액에 백반을 더 넣어 준다.
⑤ 용액을 차가운 얼음물에 넣는다.

4일 용액의 진하기 비교

9 다음은 진하기가 다른 두 황설탕 용액입니다. 두 용액의 무게를 측정할 때 더 무거운 용액의 기호를 쓰시오.

(   )

10 오른쪽은 진하기가 다른 세 백설탕 용액에 메추리알을 넣은 모습입니다. 메추리알이 떠 있는 모습을 보고 진하기가 진한 것부터 순서대로 쓰시오.

(,   ,   )

11 오른쪽은 설탕을 용해시킨 물에 방울토마토를 넣은 것입니다. 이 용액에서 비커 바닥에 가라앉은 방울토마토를 높이 띄울 수 있는 방법을 쓰시오.

_____

_____

12 다음 십자말풀이를 해 보세요.

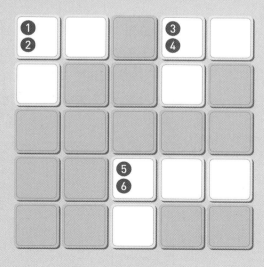

→가로

❶ 어떤 물질이 다른 물질에 녹아 골고루 섞이는 현상

❸ 녹이는 물질

❺ 작은 입자의 순수한 흰색 설탕

↓세로

❷ 녹는 물질

❹ 녹는 물질이 녹이는 물질에 골고루 섞여 있는 물질

❻ 피를 멎게 하거나 봉숭아 물을 들일 때 사용 되는 물질로, 명반이라고도 불림.

3
주

1 다음은 소금물이 만들어지는 현상입니다. ㉠, ㉡에 각각 들어갈 말을 바르게 짝지은 것은 어느 것입니까? (   )

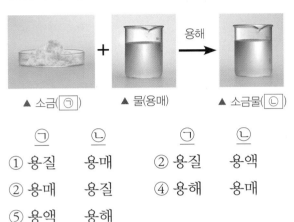

▲ 소금(㉠)   ▲ 물(용매)   ▲ 소금물(㉡)

	㉠	㉡		㉠	㉡
①	용질	용매	②	용질	용액
②	용매	용질	④	용해	용매
⑤	용액	용해			

2 다음의 세 가지 가루 물질을 온도와 양이 같은 물에 각각 넣고 충분한 시간 동안 저은 후 10분 동안 그대로 두었을 때의 결과로 옳은 것은 어느 것입니까? (   )

① 설탕은 모두 녹는다.

② 소금은 바닥에 가라앉는 것이 있다.

② 소금, 설탕, 멸치 가루는 모두 녹지 않는다.

④ 멸치 가루는 일부만 물에 녹고 나머지는 물 위에 뜬다.

⑤ 소금, 설탕, 멸치 가루는 모두 물과 섞여 뿌옇게 흐려진다.

3 다음 중 각설탕을 물에 넣었을 때 관찰할 수 있는 모습으로 옳은 것은 어느 것입니까?

(   )

① 물이 뿌옇게 흐려진다.

② 각설탕이 점점 커진다.

② 각설탕의 색깔이 진해진다.

④ 각설탕이 기체로 변해 사라진다.

⑤ 큰 설탕이 작은 설탕 가루로 부서진다.

4 다음과 같이 소금 15 g과 물 75 g을 준비하여 소금을 물에 완전히 녹였습니다. 이때 소금물의 무게는 몇 g인지 쓰시오.

▲ 소금 15 g   ▲ 물 75 g   ▲ 소금물

(   ) g

5 다음은 온도와 양이 같은 물에 소금, 설탕, 베이킹 소다를 각각 한 숟가락씩 더 넣으면서 용해되는 결과를 비교한 것입니다. 온도와 양이 같은 물에 가장 많이 용해되는 용질을 쓰시오.

(○ : 용질이 다 용해됨. △ : 용질이 다 용해되지 않음.)

용질	약숟가락으로 넣은 횟수(회)							
	1	2	3	4	5	6	7	8
소금	○	○	○	○	○	○	○	△
설탕	○	○	○	○	○	○	○	○
베이킹 소다	○	△						

(   )

6 다음 실험 과정을 보고 이 실험에서 알고자 하는 것을 보기 에서 골라 기호를 쓰시오.

> [실험 과정]
>
> 같은 양의 따뜻한 물과 차가운 물에 각각 백반을 두 숟가락씩 넣고 유리 막대로 저은 뒤 변화를 관찰합니다.

> 보기
>
> ㉠ 물의 양에 따른 백반이 용해되는 양
> ㉡ 물의 온도에 따른 백반이 용해되는 양
> ㉢ 용질의 종류에 따라 물에 용해되는 양

(   )

7 다음과 같이 따뜻한 물에 백반을 모두 녹인 후 백반 용액을 얼음물에 넣었을 때의 설명으로 옳은 것은 어느 것입니까? (   )

따뜻한 물에 녹인 백반
얼음물

① 용액에서 열이 난다.
② 용액의 높이가 높아진다.
③ 용액 속의 백반이 사라진다.
④ 용액의 색깔이 푸른색으로 변한다.
⑤ 하얀색 백반 알갱이가 다시 생겨 바닥에 가라앉는다.

8 다음은 진하기가 다른 두 황설탕 용액과 백설탕 용액입니다. 진한 용액은 진한 용액끼리 묽은 용액은 묽은 용액끼리 줄로 바르게 이으시오.

(1)    ·   · ㉠

(2) 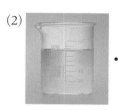   ·   · ㉡

9 다음은 진하기가 다른 세 설탕 용액에 방울토마토가 떠 있는 모습입니다. 설탕이 가장 적게 녹아 있는 용액의 기호를 쓰시오.

㉠    ㉡   ㉢

(   )

10 다음은 백설탕 용액의 중간 높이에 위치한 방울토마토를 더 높게 띄우는 방법입니다. (   ) 안에 들어갈 알맞은 말에 ○표를 하시오.

> 백설탕 용액에 (물 / 백설탕 / 방울토마토) 을/를 더 넣습니다.

3주 특강

생활 속 과학

용질을 용매에 빨리 녹일 수 있는 방법을 찾아봅니다.

 냉커피를 만들 때 커피를 뜨거운 물에 녹이는 까닭

1 설탕을 빨리 녹이기 위한 시합이 한창 진행 중이에요. 만화를 보고 설탕을 물에 빨리 녹일 수 있는 방법을 보기에서 찾아 빈칸을 채워 보세요.

1팀

2팀

3팀

설탕을 물에 빨리 녹이는 방법

❶ 물에 넣어 가만히 있을 때보다 ⬚ 저을수록 빨리 녹습니다.

❷ 알갱이의 크기가 ⬚ 수록 빨리 녹습니다.

❸ 물의 양이 ⬚ 수록 또 온도가 ⬚ 수록 빨리 녹습니다.

보기

늦게   빠르게   작을   클   적을   많을   높을   낮을

3주 특강 사고 쑥쑥

여러 가지 용질이 물에 용해되는 양을 비교해 봅니다.

2 다음 만화를 읽고 가장 잘 용해된 약이 무엇인지 맞춰보세요.

알약, 물약, 바르는 약, 캡슐에 넣은 것도 있고······.

이 약은 혀 밑에 집어넣으면 몇 초만에 금방 녹아요.

선생님, 약의 모양이 왜 이렇게 다양한 모양을 하고 있는 것일까요?

약도 우리 몸속에 들어가 용해되는 물질이에요.

약마다 아픈 곳을 치료하는 부위가 다르니까…

약마다 녹는 속도, 즉 용해되는 빠르기를 달리하여 여러 가지 모양으로 만들어요.

❶ 온도와 양이 같은 물 50 mL에 다음과 같은 세 종류의 약을 한 숟가락씩 더 넣으면서 유리 막대로 저어 약이 다 용해되면 ○표, 약이 다 용해되지 않고 바닥에 남으면 △표를 했습니다. 각 약이 용해되는 양이 많은 순서대로 쓰시오.

용질	약숟가락으로 넣은 횟수(회)									
	1	2	3	4	5	6	7	8	9	10
A약	○	○	○	△						
B약	○	○	○	○	○	○	○	○	○	○
C약	○	○	○	○	○	○	△			

정답 (　　　　　　　　,　　　　　　　　,　　　　　　　　)

❷ 위 약들을 온도가 같은 물 100 mL에 각각 넣었을 때 약이 용해되는 양을 50 mL의 물에 넣었을 때와 비교하여 쓰시오.

정답 세 약 모두 50 mL에서보다 [　　　] 양이 용해된다.

용해와 용액에 대한 물음에 알맞은 답을 골라 길을 따라가 봅니다.

3 소예는 용해 실험을 하기 위해 실험실에서 여러 가지 준비물을 찾고 있어요. 물음에 대한 옳은 답 근처에 있는 것이 소예가 찾는 준비물이에요. 소예가 찾은 준비물은 어느 것인지 모두 쓰세요.

정답 ❶ [   ] ❷ [   ] ❸ [   ] ❹ [   ]

논리 **탄탄**

용액과 용액이 아닌 것을 구별해 봅니다.

4 준영이는 오른쪽 코딩을 실행하여 엄마 심부름으로 한 가지 용액을 사러 마트에 왔어요. 준영이가 찾는 용액을 써 보세요.

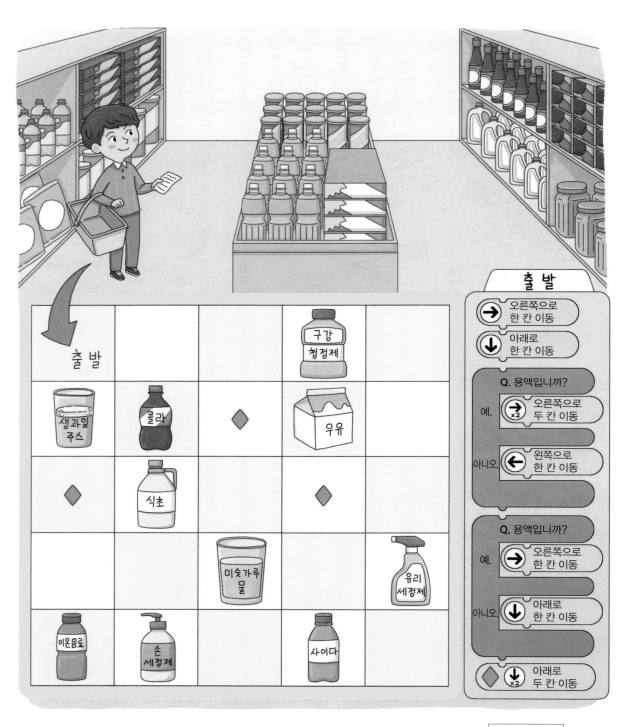

정답 준영이가 찾는 용액은 [ ] 입니다.

5 암호 해독표를 보고, 마술의 비법을 풀어 보세요.

[비법 문서]

　같은 양의 물에 녹이는 설탕의 양을 달리하여 설탕물을 여러 개 만든 후, 각 설탕물에 다른 색깔의 물감을 푼다. 각각의 설탕물을 투명한 유리컵에 조심스럽게 부으면 ⑨J②⑭A② 설탕물일수록 ⑧A④K쪽으로 내려가 다양한 색깔의 층을 이룬다.

암호 해독표

①	②	③	④	⑤	⑥	⑦	⑧	⑨	⑩	⑪	⑫	⑬	⑭
ㄱ	ㄴ	ㄷ	ㄹ	ㅁ	ㅂ	ㅅ	ㅇ	ㅈ	ㅊ	ㅋ	ㅌ	ㅍ	ㅎ

A	B	C	D	E	F	G	H	I	J	K	L	M	N
ㅏ	ㅑ	ㅓ	ㅕ	ㅗ	ㅛ	ㅜ	ㅠ	ㅡ	ㅣ	ㅐ	ㅒ	ㅔ	ㅖ

해독한 암호문

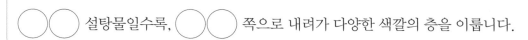

◯◯ 설탕물일수록, ◯◯ 쪽으로 내려가 다양한 색깔의 층을 이룹니다.

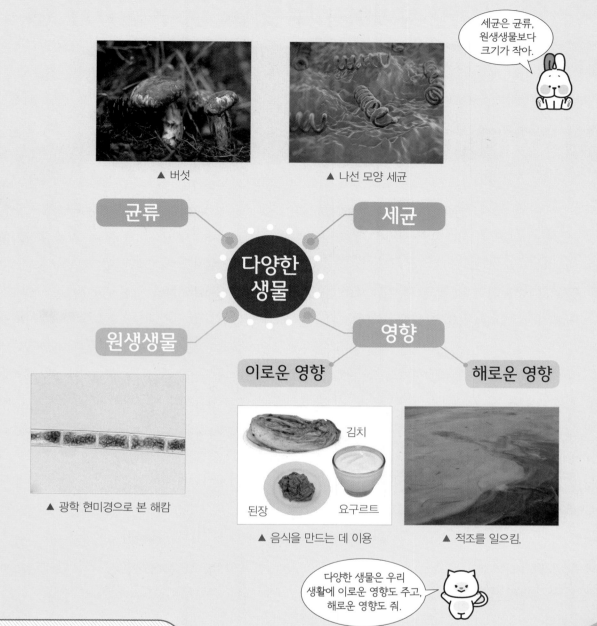

세균은 균류, 원생생물보다 크기가 작아.

▲ 버섯

▲ 나선 모양 세균

균류

세균

다양한 생물

원생생물

영향

이로운 영향

해로운 영향

▲ 광학 현미경으로 본 해캄

김치

된장   요구르트

▲ 음식을 만드는 데 이용

▲ 적조를 일으킴.

다양한 생물은 우리 생활에 이로운 영향도 주고, 해로운 영향도 줘.

우리 주변에는 동물과 식물 이외에도 다양한 생물이 살고 있으며, 우리 생활에 다양한 영향을 준다는 것을 꼭 기억해!

균류

菌 類

버섯 **균** 무리 **류**

뜻 곰팡이, 버섯과 같이 몸 전체가 균사로 이루어져 있고 포자로 번식하는 생물

예 빵을 따뜻한 곳에 오랫동안 두면 곰팡이와 같은 **균류**가 생겨요.

> 곰팡이를 관찰할 때에는 마스크와 실험용 장갑을 꼭 해야 해.

균 사

菌 絲

버섯 **균** 실 **사**

> 여기 가느다란 실 모양이 균사야.

뜻 균류의 몸을 이루는 가는 실 모양의 세포

예 곰팡이의 **균사**는 눈에 보이는 곳뿐만 아니라 다른 생물이나 물체 전체로 퍼져 있어요.

포 자

胞 子

세포 **포** 아들 **자**

뜻 곰팡이, 버섯 등이 자신과 닮은 생물을 만들어 내기 위해 만드는 것

예 **포자**는 크기가 매우 작아 공기 중에 떠다니다가 생물이나 물체에 붙거나 구멍으로 침입해요.

영구 표본

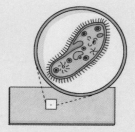

永 久 標 本

길 **영** 오랠 **구** 표할 **표** 밑 **본**

뜻 생물의 몸 전체나 그 일부에 적당한 처리를 하여 오랫동안 보존하여 관찰할 수 있게 만든 것

예 **영구 표본**을 현미경의 재물대에 올려놓고 관찰해야 해요.

다양한 생물 중 균류, 원생생물,
세균 등의 용어와 개념을 꼭 기억해!

원생생물

나는 물에
사는 해캄이야.

뜻 동물이나 식물, 균류로 분류되지 않으며,
생김새가 단순한 생물

예 해캄은 초록색을 띠며 머리카락과 같은 모양을 한
원생생물이에요.

세균

細 菌

가늘 **세**   버섯 **균**

뜻 균류나 원생생물보다 크기가 더 작고
생김새가 단순한 생물

예 손을 올바르게 씻지 않으면 손에 **세균**이 많이 남아
있어요.

세균은 우리
주위 어디에서나
살 수 있어.

첨단 생명
과학

플레밍

나는 첨단 생명
과학을 이용해
질병을 치료하는
약을 만들었지.

뜻 최신의 생명 과학 기술이나 연구 결과를
활용하여 우리 생활의 다양한 문제를 해결
하는 것

예 첨단 생명 과학은 최신의 과학 기술을 이용해
생물의 특징을 연구해요.

집안 곳곳
어디서나
살 수 있지.

우리는
세균!

자주 쓰는
물건에도
살고,

화장실에서도
살 수 있어.

1일 균류

균류로 덮힌 방을 탈출하라!

용어 체크

📍 균류
곰팡이, 버섯과 같이 몸 전체가 균사로 이루어져 있고 포자로 번식하는 생물

예 균류는 자라고 번식하므로 **①** ☐ 임을 알 수 있다.

📍 균사
균류의 몸을 이루는 가는 실 모양의 세포

예 버섯은 몸 전체가 실과 같은 **②** ☐ 로 이루어져 있다.

▲ 버섯의 균사

정답 ① 생물 ② 균사

박사님이 위험해!

포자잖아.
나는 포자 알레르기가
있어. 30분 안으로 여길
나가야 해.

박사님!

이런~ 박사가 곰팡이나
버섯이 번식하기 위해 만드는
포자에 알레르기가 있는
줄은 몰랐네?

그런
사전 조사도
안 했나요?

혹시 꾀병을 부리는 건
아니겠지?

꾀병이라뇨!
이렇게
아파하시는 거
보세요!

박사님만이라도 여길
나가게 해줘요.

오~
좀 멋진데~

제가 박사님을
업고 밖으로 나갈게요.
문 열어 주세요.
제발~

이봐! 너도
빠져나가려는 거
모를 줄 알아?

그럼
그렇지.

박사를 살리려면
좀 더 빨리
탈출해야겠군.

방 안에 있는
현미경과 표본을 이용해
비밀번호를 찾아내게.
그럼 행운을 빌지.

용어 체크

포자

곰팡이, 버섯 등이 자신과 닮은 생물을 만들어 내기 위해 만드는 것

예 포자는 작고 가벼워서 눈에 잘 보이지 ① [   ] 공기 중에 떠서 멀리
이동할 수 있다.

▲ 곰팡이의 포자

정답 ① 예 않고

▶ 실험 동영상

1 곰팡이와 버섯을 관찰해 볼까?

돋보기로 관찰한 결과

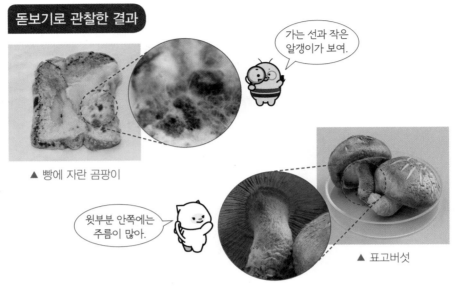

가는 선과 작은 알갱이가 보여.

▲ 빵에 자란 곰팡이

윗부분 안쪽에는 주름이 많아.

▲ 표고버섯

실체 현미경으로 관찰한 결과

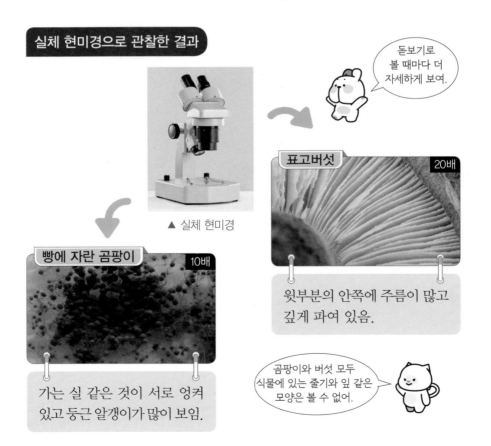

▲ 실체 현미경

돋보기로 볼 때마다 더 자세하게 보여.

표고버섯 20배

윗부분의 안쪽에 주름이 많고 깊게 파여 있음.

빵에 자란 곰팡이 10배

가는 실 같은 것이 서로 엉켜 있고 둥근 알갱이가 많이 보임.

곰팡이와 버섯 모두 식물에 있는 줄기와 잎 같은 모양은 볼 수 없어.

☑ 표고버섯을 실체 현미경으로 보면 윗부분의 안쪽에 ❶(가시 / 주름)이/가 많이 있습니다.

2 곰팡이와 버섯의 특징을 알아볼까?

균류

곰팡이와 버섯 같은 생물을 균류라고 해.

포자

균사

▲ 버섯의 구조

포자

균사

▲ 곰팡이의 구조

균류는 가늘고 긴 균사로 이루어져 있고, 포자로 번식해.

사는 곳

곰팡이

▲ 화장실 벽면에 자란 곰팡이

곰팡이와 버섯은 따뜻하고 축축한 환경에서 잘 자라.

양분을 얻는 법

곰팡이와 버섯은 주로 죽은 생물이나 다른 생물에서 양분을 얻지.

▲ 죽은 나무에 자란 버섯

곰팡이와 버섯 같은 생물을 ❷(식물 / 균류)(이)라고 합니다.

정답 ❶ 주름 ❷ 균류

개념 체크

◇ 정답과 풀이 13쪽

1 버섯을 돋보기보다 더 확대해서 보려면 실체 ☐☐☐ 을 사용해야 합니다.

2 균류는 가늘고 긴 ☐☐ (으)로 이루어져 있습니다.

3 곰팡이는 주로 죽은 생물이나 다른 생물에서 ☐☐ 을/를 얻습니다.

보기
• 균사   • 포자
• 열매   • 양분
• 현미경   • 망원경

1 오른쪽은 버섯과 곰팡이 중 무엇을 돋보기로 관찰한 모습인지 쓰시오.

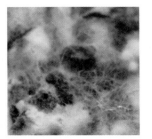

(   )

2 다음 중 물체를 돋보기보다 더 확대해서 볼 수 있는 오른쪽 기구의 이름은 어느 것입니까? (   )

① 핀셋
② 비커
③ 확대경
④ 스포이트
⑤ 실체 현미경

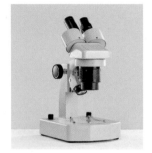

3 다음 보기에서 위 **2**번 기구로 빵에 자란 곰팡이를 관찰한 결과로 옳지 <u>않은</u> 것을 골라 기호를 쓰시오.

┌─ 보기 ─────────────────────────────┐
⊙ 둥근 알갱이가 많이 보입니다.
ⓒ 뿌리, 줄기, 잎이 구분되어 보입니다.
ⓒ 가는 실 같은 것이 서로 엉켜 있습니다.
└──────────────────────────────────┘

(   )

4 다음 중 줄기와 잎이 <u>없는</u> 생물은 어느 것입니까? (   )

① 당근
② 버섯
③ 봉숭아
④ 채송화
⑤ 강아지풀

5 다음 중 곰팡이와 버섯의 특징으로 옳은 것은 어느 것입니까? (   )

① 잎을 만든다.

② 건조한 환경에서 잘 자란다.

③ 차가운 환경에서 잘 자란다.

④ 스스로 양분을 만들어 살아간다.

⑤ 주로 죽은 생물이나 다른 생물에서 양분을 얻는다.

집중 연습 문제 균류

6 다음은 버섯과 곰팡이의 모습입니다. 버섯과 곰팡이의 몸을 이루고 있는 ㉠을 무엇이라고 하는지 쓰시오.

▲ 버섯

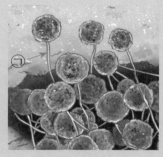
▲ 곰팡이

(   )

균류는 몸 전체가 가늘고 긴 모양의 [   ]로 이루어져 있어.

7 다음 보기 에서 균류가 번식하는 방법으로 옳은 것을 골라 기호를 쓰시오.

보기

㉠ 씨로 번식합니다.

㉡ 포자로 번식합니다.

㉢ 알이나 새끼로 번식합니다.

(   )

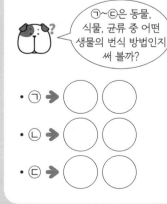
㉠~㉢은 동물, 식물, 균류 중 어떤 생물의 번식 방법인지 써 볼까?

• ㉠ ➡ ◯ ◯

• ㉡ ➡ ◯ ◯

• ㉢ ➡ ◯ ◯

2일 원생생물

현미경과 영구 표본으로 비밀번호를 찾아라!

여기 있는 표본을 현미경으로 보면 그 안에 힌트가 있는 거 아닐까요?

내가 해볼게! 의학 드라마를 찍으면서 현미경 보는 장면을 연기한 적이 있어.

표본들이 모두 검은색이야!

힌트는 검은색이야!

표본이 모두 검은색이라니요.

그건 현미경 뚜껑을 안 열고 봐서 그런 거예요.

생물을 오랫동안 보존하여 관찰할 수 있게 만든 ○ 영구 표본 들이네요.

용어 체크

○ **영구 표본**

생물의 몸 전체나 그 일부에 적당한 처리를 하여 오랫동안 보존하여 관찰할 수 있게 만든 것

예 짚신벌레 영구 [①　　　]은 현미경으로 관찰해야 자세하게 관찰할 수 있다.

▲ 짚신벌레 영구 표본

정답 ① 표본

? 비밀번호가 이렇게 쉬워도 되는 거야?

이건 짚신벌레의 표본이고.

이건 해캄의 표본이네.

짚신벌레와 해캄은 동물, 식물, 균류로 분류되지 않고 생김새가 단순한 **원생생물**인데.

으~ 아무리 생각해도 힌트가 생각이 안 나!

그냥 간단하게 생각해 보자!

영구 표본들이 많으니까 0909가 아닐까?

열리네?

악당은 우리가 생각하는 것보다 훨씬 더 단순할 수도 있겠어요.

그러게~

그렇게 간단할 리가요. 악당이 바보도 아니고!

너무 쉬운데?

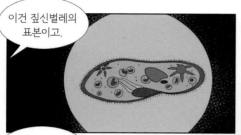

🐼 **용어 체크**

📍 **원생생물**

동물이나 식물, 균류로 분류되지 않으며, 생김새가 단순한 생물

예 짚신벌레는 생김새가 단순한 [①] 생물이다.

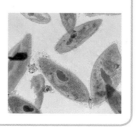

현미경으로 관찰한 짚신벌레 ▶

정답 ① 원생

실험 동영상

1 짚신벌레와 해캄을 관찰해 볼까?

돋보기로 관찰한 모습

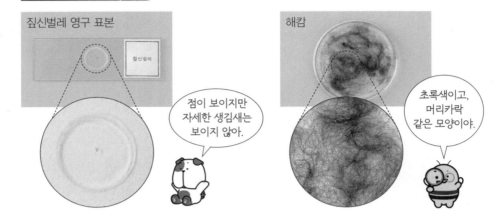

짚신벌레 영구 표본

점이 보이지만 자세한 생김새는 보이지 않아.

해캄

초록색이고, 머리카락 같은 모양이야.

광학 현미경으로 관찰한 모습

짚신벌레는 표본을 염색해서 색깔을 띠는 거야.

▲ 광학 현미경

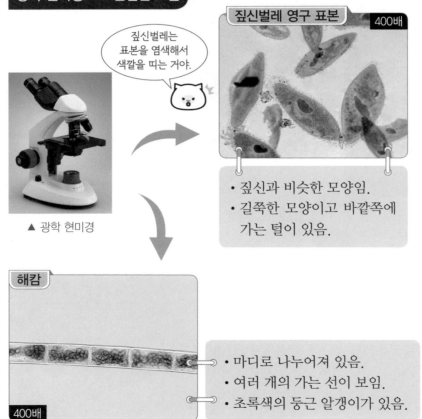

짚신벌레 영구 표본   400배

• 짚신과 비슷한 모양임.
• 길쭉한 모양이고 바깥쪽에 가는 털이 있음.

해캄

• 마디로 나누어져 있음.
• 여러 개의 가는 선이 보임.
• 초록색의 둥근 알갱이가 있음.

400배

☑ 짚신과 비슷한 모양으로 생긴 것은 ❶(해캄 / 짚신벌레)입니다.

2 짚신벌레와 해캄 같은 생물을 무엇이라고 할까?

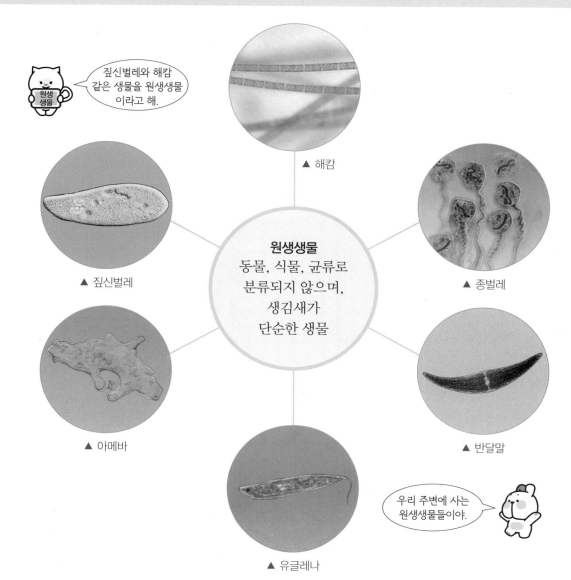

짚신벌레와 해캄 같은 생물을 원생생물 이라고 해.

▲ 해캄

▲ 짚신벌레

▲ 종벌레

원생생물
동물, 식물, 균류로
분류되지 않으며,
생김새가
단순한 생물

▲ 아메바

▲ 반달말

▲ 유글레나

우리 주변에 사는 원생생물들이야.

✓ 짚신벌레와 해캄은 ❷(균류 / 원생생물)에 해당합니다.

정답 ❶ 짚신벌레 ❷ 원생생물

개념 체크

○ 정답과 풀이 13쪽

1 짚신벌레는 짚신처럼 ☐☐☐ 모양입니다.

2 해캄은 안쪽에 ☐☐ 색을 띠는 둥근 알갱이가 있습니다.

3 원생생물은 생김새가 ☐☐☐ 생물입니다.

보 기
• 초록   • 보라
• 길쭉한   • 동그란
• 단순한   • 복잡한

1 다음 중 해캄은 어떤 색을 띱니까? (   )

① 보라색   ② 붉은색   ③ 노란색
④ 검은색   ⑤ 초록색

2 다음 중 짚신벌레 영구 표본을 더 자세하게 관찰할 수 있는 기구의 기호를 쓰시오.

▲ 돋보기

▲ 광학 현미경

(   )

3 오른쪽은 위 **2**번 답의 기구를 이용하여 짚신벌레와 해캄 중 무엇을 관찰한 모습인지 쓰시오.

(   )

4 다음 보기에서 짚신벌레와 해캄의 공통점으로 옳은 것을 골라 기호를 쓰시오.

> 보기
> ㉠ 식물과 동물에 비해 단순한 모양입니다.
> ㉡ 모두 안에 초록색 알갱이가 들어 있습니다.
> ㉢ 맨눈으로 안의 모양까지 자세하게 볼 수 있습니다.

(   )

5 다음 중 원생생물에 대한 설명으로 옳은 것은 어느 것입니까? (   )

① 생김새가 복잡하다.

② 균사로 이루어져 있다.

③ 식물과 같이 뿌리가 있다.

④ 모두 머리카락처럼 가늘고 길다.

⑤ 동물, 식물, 균류로 분류되지 않는다.

6 다음 중 원생생물이 <u>아닌</u> 것의 기호를 쓰시오.

ㄱ

▲ 아메바

ㄴ

▲ 해캄

ㄷ

▲ 곰팡이

(   )

똑똑한 하루 퀴즈

7 다음 □ 안에 들어갈 알맞은 낱말을 말 상자에서 찾아 모두 ○표를 하세요. 말 상자의 낱말은 가로, 세로, 대각선에 숨어 있어요.

원	통	송	짚
자	생	☆	신
마	활	생	명
☆	디	키	물

① 짚신벌레는 □□과 비슷한 모양임.

② 해캄을 광학 현미경으로 관찰하면 □□로 나누어져 있음.

③ 해캄과 같이 동물, 식물, 균류로 분류되지 않으며, 생김새가 단순한 생물을 □□생물이라고 함.

3일 세균

세균을 조심해!

방을 나가도 나가도 끝이 없네.

마지막 방이다!

그걸 어떻게 알아요?

문의 작은 구멍으로 밖의 모습이 보여! 이 문만 열고 나가면 밖이야.

정말요?

맞아. 마지막 📍세균의 방이지! 이 방에선 너희들도 모험도 마지막이 될걸?

빳

세균은 균류나 원생생물보다 크기가 더 작아 배율이 높은 현미경을 사용해야 볼 수 있지. 세균통은 5분 후면 열린다고!

으응

큰일인데…….

용어 체크

📍 **세균**

균류나 원생생물보다 크기가 더 작으며 생김새가 단순한 생물

예 ❶ [　　　] 은 사람과 같은 생물의 몸에서도 살 수 있다.

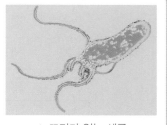

▲ 꼬리가 있는 세균

🐻 드디어 탈출 성공!

🔍 용어 체크

◎ 생명 현상

생물이 살아 있음으로써 나타내는 양분을 얻고 자라며 번식하는 등의 고유한 현상

예 세균은 크기가 매우 작지만 생명 현상을 하기 때문에 ❶　　　　이다.

1 세균이란 무엇일까?

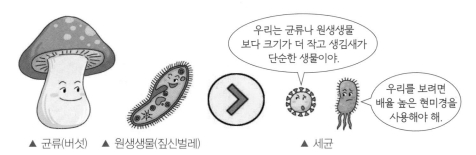

▲ 균류(버섯)　　▲ 원생생물(짚신벌레)　　　　　▲ 세균

우리는 균류나 원생생물보다 크기가 더 작고 생김새가 단순한 생물이야.

우리를 보려면 배율 높은 현미경을 사용해야 해.

☑ 세균은 **균류나 원생생물보다 크기가 더** ❶(작은 / 큰) 생물입니다.

2 세균은 어디에서 살까?

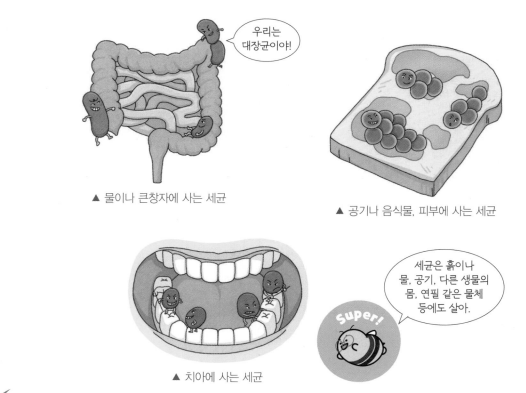

우리는 대장균이야!

▲ 물이나 큰창자에 사는 세균

▲ 공기나 음식물, 피부에 사는 세균

▲ 치아에 사는 세균

세균은 흙이나 물, 공기, 다른 생물의 몸, 연필 같은 물체 등에도 살아.

Super!

☑ 세균은 **다른 생물의 몸속에서 살 수** ❷(없습니다 / 있습니다).

3 세균은 어떻게 생겼을까?

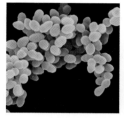
▲ 공 모양 세균

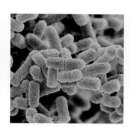
▲ 막대 모양 세균

세균의 모양은
다양해.

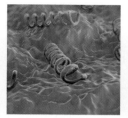
▲ 나선 모양 세균

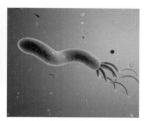
▲ 꼬리가 있는 세균

☑ 세균의 종류에 따라 **모양**이 ³(모두 같습니다 / **다양합니다**).

4 세균의 번식 빠르기는 어떨까?

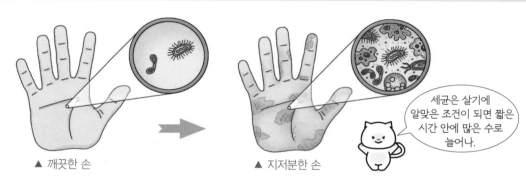

▲ 깨끗한 손   ▲ 지저분한 손

세균은 살기에
알맞은 조건이 되면 짧은
시간 안에 많은 수로
늘어나.

☑ 세균은 **번식 속도**가 ⁴(**빠릅니다** / 느립니다).

정답 ❶ 작은 ❷ 있습니다 ❸ 다양합니다 ❹ 빠릅니다

🐻 **개념 체크**

◇ 정답과 풀이 13쪽

1 균류, 원생생물, 세균 중 생김새가 가장 단순한 것은 ☐☐입니다.

2 세균 중에는 ☐☐이/가 있는 것도 있습니다.

3 세균은 살기에 알맞은 조건이 되면 ☐☐ 시간 안에 많은 수로 늘어납니다.

보기
• 짧은   • 오랜
• 균류   • 세균
• 깃털   • 꼬리

1 다음 중 세균에 대한 설명으로 옳은 것은 어느 것입니까? (   )

① 균류보다 크다.

② 원생생물보다 크다.

③ 균류와 크기가 비슷하다.

④ 균류나 원생생물보다 작다.

⑤ 원생생물과 크기가 비슷하다.

2 다음 보기 에서 세균을 관찰하기에 가장 알맞은 것을 골라 기호를 쓰시오.

보기
㉠ 맨눈   ㉡ 돋보기   ㉢ 배율이 높은 현미경

(   )

3 다음 중 세균에 해당하는 생물은 어느 것입니까? (   )

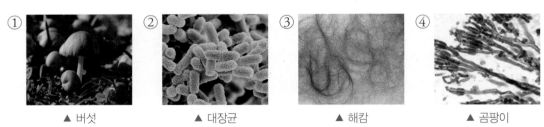

① ▲ 버섯   ② ▲ 대장균   ③ ▲ 해캄   ④ ▲ 곰팡이

4 다음 중 세균의 모양에 대해 바르게 설명한 친구의 이름을 쓰시오.

소라 : 모두 둥근 공 모양이야.

태호 : 꼬리가 있는 세균은 없어.

하영 : 세균의 종류에 따라 모양이 다양해.

(   )

5 다음 보기 에서 세균이 살기에 알맞은 조건이 되었을 때 세균의 번식에 대한 설명으로 옳은 것을 골라 기호를 쓰시오.

보기
㉠ 수가 늘어나지 않습니다.
㉡ 수가 늘어나는 속도가 매우 느립니다.
㉢ 짧은 시간 안에 많은 수로 늘어납니다.
㉣ 짧은 시간 안에 많은 수로 줄어듭니다.

(   )

🐻 집중 연습 문제 **세균이 사는 곳**

6 다음 중 세균이 사는 곳에 대한 설명으로 옳은 것은 어느 것입니까?

(   )

① 물에서는 살 수 없다.
② 공기 중에서만 살아간다.
③ 생물의 몸에서만 살아간다.
④ 사람의 몸에서는 살 수 없다.
⑤ 연필과 같은 물체에서도 산다.

생물이 살기 어려운 환경에서 사는 세균도 있어.

7 다음 중 세균이 살 수 있는 곳을 모두 골라 기호를 쓰시오.

▲ 물   ▲ 흙   ▲ 손

(   )

세균은 다른 생물의 몸뿐만 아니라 물, 공기, 흙 등 다양한 곳에서 ☐☐☐☐.

4일 다양한 생물과 우리 생활

 우리를 가둔 이유가 뭐야!

🐻 **용어 체크**

📍 **적조**

물속이나 물위에 떠다니며 생활하는 매우 작은 생물이 갑자기 많이 늘어나서 바닷물이 붉게 물들어 보이는 현상

예 여름철에 ❶ ☐ 가 발생하여 물고기가 떼죽음을 당했다.

📍 **분해**

여러 부분이 결합되어 이루어진 것을 낱낱으로 나누는 것

예 세균은 죽은 생물을 ❷ ☐ 한다.

정답 ❶ 적조 ❷ 분해

❓ 첨단 생명 과학 연구를 방해한 게 아니라고?

🐾 용어 체크

📍 첨단 생명 과학

최신의 생명 과학 기술이나 연구 결과를 활용하여 우리 생활의 다양한 문제를 해결하는 것

예 곰팡이를 이용하여 질병을 치료하는 [①] 을 만드는 데 첨단 생명 과학을 활용한다.

질병 치료에 이용하는 푸른곰팡이 ▶

1 다양한 생물이 우리 생활에 미치는 영향을 알아볼까?

이로운 영향

김치

요구르트

된장

▲ 균류나 세균은 음식을 만드는 데 이용됨.

죽은 곤충에서 자란 버섯

▲ 균류나 세균은 죽은 생물을 분해하여 지구 환경을 유지하는 데 도움을 줌.

원생생물은 주로 다른 생물의 먹이가 돼.

해캄

▲ 원생생물은 생물이 사는 데 필요한 산소를 만들기도 함.

해로운 영향

귤에 자란 곰팡이

▲ 음식이나 물건을 상하게 하는 곰팡이와 세균이 있음.

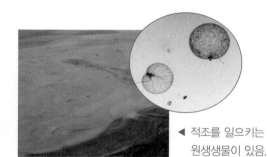

◀ 적조를 일으키는 원생생물이 있음.

다양한 생물은 우리 생활에 이로운 영향뿐만 아니라 해로운 영향도 줘.

장염을 일으키는 세균

곰팡이와 세균은 다른 생물로 ▶ 옮아가 질병을 일으키기도 함.

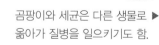

✓ 적조는 다양한 생물이 우리 생활에 주는 ❶(이로운 / 해로운) 영향입니다.

2 첨단 생명 과학이 우리 생활에 활용되는 예를 알아볼까?

첨단 생명 과학
최신의 생명 과학 기술이나 연구 결과를 활용하여 우리 생활의 다양한 문제를 해결하는 것

첨단 생명 과학이 우리 생활에 활용되는 예를 찾아보자!

영양소가 풍부한 원생 생물을 이용해 건강 식품을 만듦.

세균을 자라지 못하게 하는 일부 곰팡이의 특성을 이용해 질병을 치료함.

플라스틱 원료

플라스틱 원료를 가진 세균으로 플라스틱 제품을 만듦.

✓ 영양소가 풍부한 원생생물을 이용해 ②(건강식품 / 플라스틱 제품)을 만듭니다.

정답 ❶ 해로운 ❷ 건강식품

🐼 개념 체크

◦ 정답과 풀이 14쪽

1 원생생물은 주로 다른 생물의 ☐☐이/가 됩니다.

2 세균은 우리 몸에 ☐☐을/를 일으키기도 합니다.

3 균류의 특성을 이용해 질병을 치료하는 것은 ☐☐ 생명 과학을 이용하는 것입니다.

보기
• 건강 • 질병 • 먹이
• 천적 • 전통 • 첨단

4일 개념 확인하기

○ 정답과 풀이 14쪽

1 균류나 세균을 이용하여 오른쪽과 같은 음식을 만드는 것은 다양한 생물이 우리 생활에 주는 이로운 영향과 해로운 영향 중 무엇인지 쓰시오.

( )

▲ 된장

▲ 요구르트

2 다음 중 다양한 생물이 우리 생활에 미치는 해로운 영향에 대한 설명으로 옳은 것을 두 가지 고르시오. (,   )

① 적조를 일으킨다.

② 물건을 상하게 한다.

③ 죽은 생물을 분해한다.

④ 다른 생물의 먹이가 된다.

⑤ 생물이 사는 데 필요한 산소를 만든다.

3 다음 보기에서 다양한 생물이 우리 생활에 미치는 영향으로 옳은 것을 골라 기호를 쓰시오.

보기
㉠ 이로운 영향만 줍니다.
㉡ 해로운 영향만 줍니다.
㉢ 이로운 영향을 주기도 하고 해로운 영향을 주기도 합니다.

( )

4 다음은 첨단 생명 과학에 대한 설명입니다. ☐ 안에 들어갈 알맞은 말을 쓰시오.

첨단 생명 과학은 최신의 ☐☐☐ 기술이나 연구 결과를 활용하여 우리 생활의 다양한 문제를 해결하는 것을 말합니다.

( )

5 다음 보기에서 질병을 치료하는 약을 만드는 데 이용할 수 있는 생물의 특성을 골라 기호를 쓰시오.

> 보기
> ㉠ 물질을 분해하는 세균
> ㉡ 영양소가 풍부한 원생생물
> ㉢ 세균을 자라지 못하게 하는 곰팡이

(   )

6 다음 중 첨단 생명 과학이 우리 생활에 활용되는 예를 골라 기호를 쓰시오.

㉠

▲ 버섯으로 음식을 만들어 먹음.

㉡

▲ 플라스틱 원료를 가진 세균으로 플라스틱 제품을 만듦.

(   )

똑똑한 하루 퀴즈

7 다음 □ 안에 들어갈 알맞은 낱말을 말 상자에서 찾아 모두 ○표를 하세요. 말 상자의 낱말은 가로, 세로, 대각선에 숨어 있어요.

소	질	활	동
☆	병	생	난
줄	산	☆	명
소	장	간	치

① 원생생물은 생물이 사는 데 필요한 □□를 만들기도 함.

② 곰팡이나 세균은 사람에게 □□을 일으키기도 함.

③ 첨단 □□ 과학을 이용해 질병을 치료하는 약을 만들 수 있음.

1 균류

> 균류는 식물에서 볼 수 있는 뿌리, 줄기, 잎과 같은 구조는 없어.

균류	• 곰팡이와 버섯 같은 생물을 말함. • 가늘고 긴 모양의 균사로 이루어져 있고 포자로 번식함. 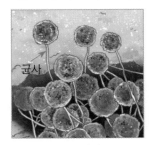  ▲ 곰팡이 ▲ 버섯
곰팡이와 버섯의 특징	• 따뜻하고 축축한 환경에서 잘 자람. • 주로 죽은 생물이나 다른 생물에서 양분을 얻음.

2 원생생물

① **원생생물** : 짚신벌레와 해캄처럼 동물이나 식물, 균류, 세균에 속하지 않는 생물
② **짚신벌레와 해캄이 사는 곳** : 물이 고인 곳이나 물살이 느린 하천 등

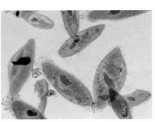 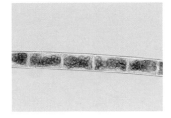

▲ 짚신벌레　　　　　　　　▲ 해캄

3 세균

① **세균** : 균류나 원생생물보다 크기가 더 작고 생김새가 단순한 생물
② **세균의 특징**

> 세균은 우리가 자주 사용하는 컴퓨터 자판이나 연필과 같은 물체에서도 살아.

생김새	생김새에 따라 공 모양, 막대 모양, 나선 모양 등으로 구분하며, 꼬리가 있는 세균도 있음.
사는 곳	우리 주변의 다양한 곳에서 살고 있음.
번식	살기에 알맞은 조건이 되면 짧은 시간 안에 많은 수로 늘어날 수 있음.

4 다양한 생물과 우리 생활

① 다양한 생물이 우리 생활에 미치는 영향

다양한 생물은 우리 생활에 이로운 영향도 주고 해로운 영향도 줘.

이로운 영향	• 다른 생물의 먹이가 됨. • 음식을 만드는 데 이용됨. • 죽은 생물을 분해하여 지구 환경을 유지하는 데 도움을 줌.
해로운 영향	• 음식을 상하게 함. • 주변의 물건을 못 쓰게 만듦. • 다른 생물로 옮아가 질병을 일으키기도 함.

② 첨단 생명 과학의 활용

질병 치료	건강식품 생산	플라스틱 제품 생산

곰팡이가 세균을 자라지 못하게 하는 특성을 이용해 질병을 치료함.	영양소가 풍부한 원생생물을 이용하여 건강식품을 만듦.	플라스틱 원료를 가진 세균으로 플라스틱 제품을 만듦.

 과학 칼럼

우리 몸을 건강하게 지켜주는 세균이 있다고?

세균은 우리 몸에 질병을 일으키기도 하지만 유산균처럼 우리 몸을 건강하게 도와주는 세균도 있어요. 유산균은 창자 속에 살면서 해로운 세균을 물리치고, 음식물의 소화를 도우며 변비를 예방하는 역할을 해서 몸을 건강하게 유지하는 데 도움을 줘요.

유산균이 많이 들어 있는 김치나 요구르트를 챙겨 먹고 유산균이 활발하게 활동할 수 있도록 운동을 하면 우리 몸을 더 건강하게 유지할 수 있어요.

1일 균류

1 다음 중 실체 현미경으로 빵에 자란 곰팡이를 관찰한 모습을 골라 기호를 쓰시오.

ㄱ

ㄴ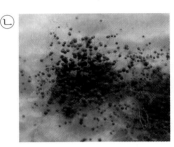

( )

2 다음 중 균류는 무엇으로 번식합니까? ( )

① 씨　　　　② 포자　　　　③ 균사　　　　④ 떡잎　　　　⑤ 열매

3 다음 중 곰팡이와 버섯이 잘 자라는 환경은 어느 것입니까? ( )

① 춥고 축축한 환경　　　　　　② 춥고 건조한 환경

③ 따뜻하고 축축한 환경　　　　④ 따뜻하고 건조한 환경

⑤ 어떤 환경에서도 잘 자란다.

4 다음 보기에서 곰팡이가 양분을 얻는 방법으로 옳은 것을 골라 기호를 쓰시오.

보기
ㄱ 스스로 양분을 만듭니다.
ㄴ 양분이 없어도 살아갈 수 있습니다.
ㄷ 죽은 생물이나 다른 생물에서 양분을 얻습니다.

( )

● 정답과 풀이 14쪽

2일 원생생물

5 다음의 생물은 공통적으로 어떤 생물에 속합니까? (   )

| 해캄 | 반달말 | 짚신벌레 |

① 식물   ② 동물   ③ 세균
④ 균류   ⑤ 원생생물

서술형

6 오른쪽은 광학 현미경으로 짚신벌레를 관찰한 모습입니다. 짚신벌레를 관찰한 결과를 쓰시오.

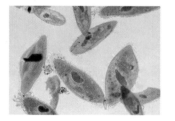

_____

_____

7 다음 중 짚신벌레와 해캄이 사는 곳을 골라 기호를 쓰시오.

▲ 물살이 빠른 계곡

▲ 물이 고인 연못

▲ 파도가 치는 바다

(   )

3일 세균

8 다음 중 원생생물과 세균의 크기를 바르게 비교한 친구의 이름을 쓰시오.

> 찬영 : 세균이 원생생물보다 더 커.
> 수민 : 원생생물이 세균보다 더 커.
> 현아 : 세균과 원생생물의 크기는 비슷해.

(   )

9 다음 중 꼬리가 있는 세균은 어느 것입니까? (   )

① 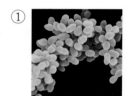   ②    ③    ④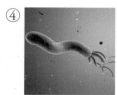

10 다음 중 세균의 특징으로 옳지 <u>않은</u> 것은 어느 것입니까? (   )

① 균류보다 크기가 작다.
② 공기에서만 살 수 있다.
③ 원생생물보다 생김새가 더 단순하다.
④ 세균의 종류에 따라 모양은 다양하다.
⑤ 살기에 알맞은 조건이 되면 짧은 시간 안에 많은 수로 늘어난다.

4일 다양한 생물과 우리 생활

11 다음 보기 에서 균류나 세균을 이용하여 만든 음식을 두 가지 골라 기호를 쓰시오.

> 보기
> ㉠ 김치   ㉡ 우유   ㉢ 탄산음료   ㉣ 요구르트

(,   )

12 다음 중 다양한 생물이 우리 생활에 미치는 이로운 영향의 기호를 쓰시오.

ㄱ
▲ 음식을 상하게 함.

ㄴ
▲ 산소를 만듦.

ㄷ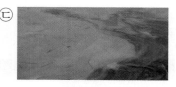
▲ 적조를 일으킴.

(　　　　　　　)

13 다음 보기 에서 플라스틱 원료를 가진 세균의 특성을 우리 생활에 활용한 예를 골라 기호를 쓰시오.

보기
ㄱ 하수 처리를 합니다.　　　　　ㄴ 건강식품을 만듭니다.
ㄷ 플라스틱 제품을 만듭니다.　　ㄹ 질병을 치료하는 약을 만듭니다.

(　　　　　　　)

14 다음 십자말풀이를 해 보세요.

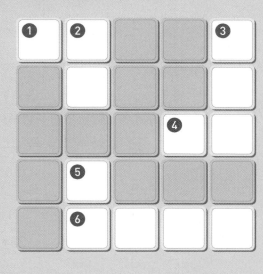

→가로

❶ 균류, 원생생물보다 크기가 더 작고 생김새가 단순한 생물

❹ 곰팡이가 번식하기 위해 만드는 것

❻ 첨단 □□ □□을 활용하여 건강식품을 만들기도 함.

↓세로

❷ 곰팡이, 버섯과 같은 생물을 이르는 말

❸ 대장균은 사람의 □□□에 사는 세균임.

❺ 해캄은 □□생물에 속하는 생물임.

4
주

1 다음 중 곰팡이와 같은 종류의 생물에 속하는 것은 어느 것입니까? (   )

① ▲ 강아지풀

② ▲ 나팔꽃

③ ▲ 버섯

④ ▲ 무궁화

2 다음은 곰팡이의 구조를 나타낸 것입니다. 곰팡이의 몸을 이루고 있는 가늘고 긴 모양의 ㉠을 무엇이라고 하는지 쓰시오.

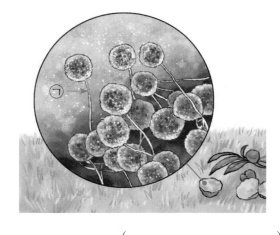

(   )

3 다음을 광학 현미경으로 해캄과 짚신벌레를 관찰한 모습에 맞게 줄로 바르게 이으시오.

(1) 해캄 ·

· ㉠

(2) 짚신 벌레 ·

· ㉡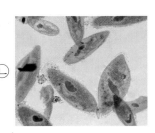

4 다음 중 해캄과 짚신벌레와 같은 생물을 무엇이라고 합니까? (   )

① 동물   ② 식물

③ 세균   ④ 균류

⑤ 원생생물

5 다음 보기에서 해캄과 짚신벌레가 사는 곳으로 옳은 것을 골라 기호를 쓰시오.

보기
㉠ 파도가 세게 치는 바닷가
㉡ 물살이 빠른 계곡의 위쪽
㉢ 연못과 같이 물이 고인 곳

(   )

6 다음 보기에서 세균을 관찰하기에 가장 알맞은 실험 도구를 골라 기호를 쓰시오.

> 보기
> ㉠ 보안경
> ㉡ 돋보기
> ㉢ 배율이 높은 현미경

( )

7 다음 중 나선 모양의 세균에 해당하는 것의 기호를 쓰시오.

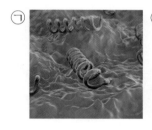 ㉠   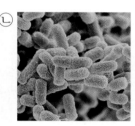 ㉡

( )

8 다음 중 세균에 대한 설명으로 옳은 것은 어느 것입니까? ( )

① 생김새가 복잡하다.

② 모두 막대 모양이다.

③ 번식 속도가 매우 느리다.

④ 균류나 원생생물보다 더 크다.

⑤ 다른 생물의 몸에서도 살 수 있다.

9 다음 보기에서 다양한 생물이 우리 생활에 미치는 이로운 영향끼리 바르게 짝지은 것은 어느 것입니까? ( )

> 보기
> ㉠ 곰팡이는 음식을 상하게 합니다.
> ㉡ 원생생물은 다른 생물의 먹이가 됩니다.
> ㉢ 균류나 세균은 죽은 생물을 분해합니다.
> ㉣ 세균은 다른 생물로 옮아가 질병을 일으킵니다.

① ㉠, ㉡   ② ㉠, ㉢   ③ ㉡, ㉢
④ ㉡, ㉣   ⑤ ㉢, ㉣

10 다음을 우리 생활에서 첨단 생명 과학을 활용하는 예에 맞게 줄로 바르게 이으시오.

(1) 영양소가 풍부한 원생생물   •

 • ㉠
▲ 플라스틱 제품 생산

(2) 세균을 자라지 못하게 하는 곰팡이   •

 • ㉡
▲ 건강식품 생산

(3) 플라스틱 원료를 가진 세균   •

 • ㉢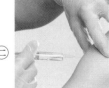
▲ 질병 치료

4주

4주특강

생활 속 과학

다음 만화를 읽고 살모넬라균에 의한 식중독을 예방하기 위한 방법을 알아봅니다.

살모넬라 식중독은 어떻게 예방할까?

룰루루~ 오늘은 계란프라이를 반찬으로 해달라고 해야겠다.

잠깐만!

무슨 일이야?

지금 계란을 만지고 손도 씻지 않는 거예요?

계란이 깨끗해 보였어.

계란을 통해 살모넬라 식중독에 걸릴 수 있다는 사실 몰라요?

뜨헉!

신애가 잘 알고 있네. 살모넬라 식중독에 걸리면 설사, 구토, 열, 복통 등과 같은 증상이 나타난단다.

박사님!

그러니까 계란을 만진 후에는 꼭 비누로 깨끗하게 손을 씻어야 해요!

눼눼~

살모넬라 식중독을 예방할 수 있는 방법을 알아볼까?

살모넬라 식중독 예방법

항상 손을 깨끗이 씻기

날계란 먹는 것을 자제하기

계란, 육류 등은 완전히 익힌 후 먹기

조리한 식품은 되도록 빠른 시간 안에 먹기

음식을 만들 때 사용하는 기구는 꼼꼼하게 세척하기

날계란 하나 먹어볼까?

안 돼요!

1 사다리를 타고 내려가 살모넬라 식중독을 예방하기 위한 방법에 대해 바르게 말한 사람을 찾아 이름을 쓰세요.

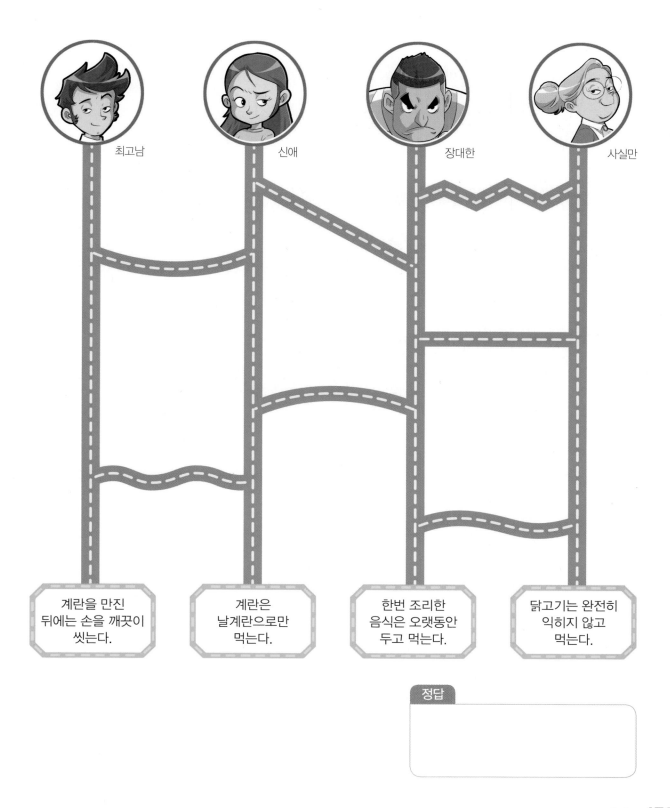

최고남

신애

장대한

사실만

계란을 만진 뒤에는 손을 깨끗이 씻는다.

계란은 날계란으로만 먹는다.

한번 조리한 음식은 오랫동안 두고 먹는다.

닭고기는 완전히 익히지 않고 먹는다.

정답

사고 쑥쑥

다양한 생물의 특징을 생각해 보고 힌트에 적힌 생물을 찾아 방탈출을 해 봅니다.

2 방을 탈출하려면 힌트 메모지에 적힌 특징에 모두 해당하는 생물이 쓰여 있는 문을 열어야 해요.
친구들은 몇 번 방 문을 열어야 하는지 쓰세요.

[힌트 1]
우리는 동물이나
식물에 속하지
않아.

[힌트 2]
방문에 적힌
생물 중 크기가
가장 작아.

[힌트 3]
땅이나 물, 다른
생물의 몸, 연필
같은 물체에서도
살아.

정답

발효의 뜻을 알아보고, 우리 주위에서 볼 수 있는 발효 식품에는 어떤 것이 있는지 알아봅니다.

③ 다음 만화를 읽고, 우리 생활에서 만들어진 발효 식품에 해당하는 것을 모두 찾아 ○표를 하세요.

발효 식품을 찾아보자!

▲ 우유

▲ 된장

▲ 밥

▲ 콩나물무침

▲ 요구르트

4주 특강

논리 탄탄

원생생물, 균류, 세균을 분류하여 코딩을 바르게 완성한 것을 찾아봅니다.

4 다음의 지도에서 도기가 도착 칸에 가도록 코딩을 바르게 한 것의 기호를 쓰세요.

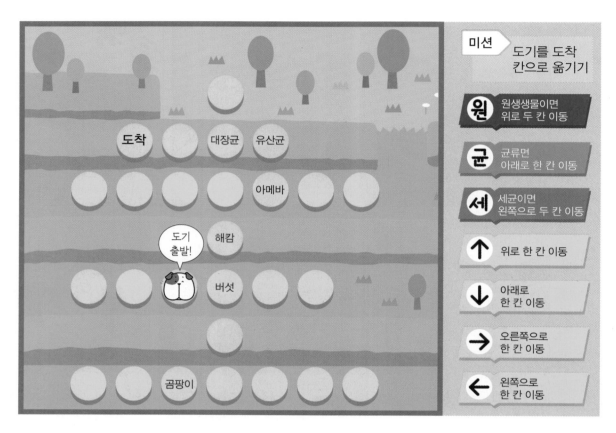

ㄱ
→ 오른쪽으로 한 칸 이동
균 균류면 아래로 한 칸 이동
↓ 아래로 한 칸 이동
← 왼쪽으로 한 칸 이동

ㄴ
→ 오른쪽으로 한 칸 이동
↑ 위로 한 칸 이동
원 원생생물이면 위로 두 칸 이동
세 세균이면 왼쪽으로 두 칸 이동

ㄷ
→ 오른쪽으로 한 칸 이동
↑ 위로 한 칸 이동
원 원생생물이면 위로 두 칸 이동
→ 오른쪽으로 한 칸 이동

정답

코딩을 하여 각 생물이 균류, 원생생물, 세균 중 무엇에 해당하는지 바르게 분류해 봅니다.

5 다음과 같은 방법으로 사실만, 신애, 최고남이 각자 있는 칸에서 코딩을 시작했을 때 도착한 칸에 있는 생물에 따라 점수를 다르게 얻게 돼요. 가장 많은 점수를 얻는 사람의 이름을 쓰세요.

[코딩 명령어]

↓ 아래로 한 칸 이동   ↑ 위로 한 칸 이동

← 왼쪽으로 한 칸 이동   → 오른쪽으로 한 칸 이동

[점수] 도착한 칸에 있는 생물이 균류면 10점, 원생생물이면 5점, 세균이면 3점을 얻습니다.

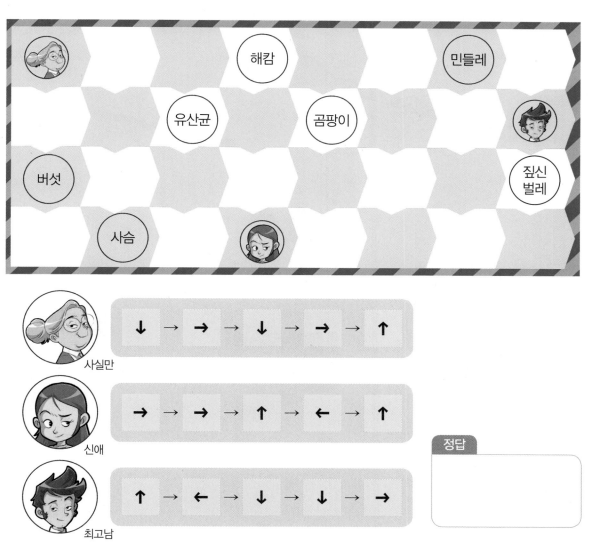

여러 가지 **실험 기구**

▲ 나침반

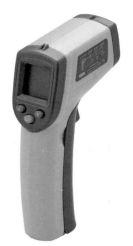

▲ 적외선 온도계

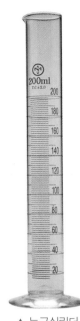

▲ 눈금실린더

▲ 약숟가락

▲ 유리 막대

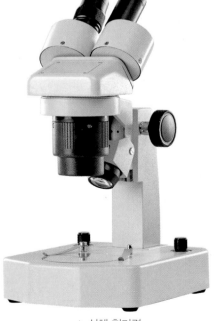

▲ 실체 현미경

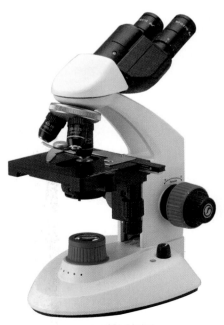

▲ 광학 현미경

▲ 알코올램프

문제 읽을 준비는
저절로 되지 않습니다.

문해력을 키우는 시간

하루 10분

똑똑한 하루 국어 시리즈

문제풀이의 핵심, 문해력을 키우는 승부수

예비초~초6 각 A·B
교재별 14권

예비초 A·B, 초1~초6: 1A~4C
총 14권

똑똑한 하루 시/리/즈

✂ 쉽다!

10분이면 하루치 공부를 마칠 수 있는 커리큘럼으로,
아이들이 초등 학습에 쉽고 재미있게 접근할 수 있도록
구성하였습니다.

🧩 재미있다!

교과서는 물론 생활 속에서 쉽게 접할 수 있는
다양한 소재와 재미있는 게임 형식의 문제로
흥미로운 학습이 가능합니다.

📖 똑똑하다!

초등학생에게 꼭 필요한 학습 지식 습득은 물론
창의력 확장까지 가능한 교재로 올바른 공부습관을
가지는 데 도움을 줍니다.

과목	교재 구성	과목	교재 구성
하루 독해	예비초~6학년 각 A·B (14권)	하루 VOCA	3~6학년 각 A·B (8권)
하루 어휘	예비초~6학년 각 A·B (14권)	하루 Grammar	3~6학년 각 A·B (8권)
하루 글쓰기	예비초~6학년 각 A·B (14권)	하루 Reading	3~6학년 각 A·B (8권)
하루 한자	예비초: 예비초 A·B (2권) 1~6학년: 1A~4C (12권)	하루 Phonics	Starter A·B / 1A~3B (8권)
하루 수학	1~6학년 1·2학기 (12권)	하루 봄·여름·가을·겨울	1~2학년 각 2권 (8권)
하루 계산	예비초~6학년 각 A·B (14권)	하루 사회	3~6학년 1·2학기 (8권)
하루 도형	예비초~6학년 각 A·B (14권)	하루 과학	3~6학년 1·2학기 (8권)
하루 사고력	1~6학년 각 A·B (12권)	하루 안전	1~2학년 (2권)

※ 각 교재별 출간 시기는 조금씩 다르며, 일부 교재는 순차적으로 출시될 예정입니다.

정답과 풀이

똑똑한
하루
과학

5-1

천재교육

book.chunjae.co.kr

정답과 풀이

1주 온도와 열

1일 온도 측정하기

1 ℃   **2** 고체   **3** 알코올

1 ②   **2** 멍이   **3** 섭씨도
4 (1) ㉠ (2) ㉢, ㉣ (3) ㉡   **5** 적외선 온도계
6 (1) ㉠ (2) ㉡ (3) ㉢   **7** ㉤, 25.0 ℃

똑똑한 하루 퀴즈

8

적	액	🔔	🔔
외	체	온	계
선	🔔	도	🔔
화	상	계	🔔
🔔	알	코	올

❶ 체온계 ❷ 적외선 ❸ 알코올 ❹ 온도

풀이

1 물질의 차갑거나 따뜻한 정도는 온도로 나타냅니다.

2 물질의 차갑거나 따뜻한 정도를 말로만 표현하면 정확하게 알 수 없습니다.

3 온도의 단위인 ℃는 섭씨도입니다.

4 귀 체온계는 체온을 잴 때, 적외선 온도계는 주로 고체 물질의 온도를 잴 때, 알코올 온도계는 주로 액체나 기체의 온도를 잴 때 사용합니다.

5 흙의 온도를 측정하는 온도계는 적외선 온도계입니다.

6 (1)은 귀 체온계, (2)는 적외선 온도계, (3)은 알코올 온도계의 사용 방법입니다.

7 액체 기둥의 끝이 닿은 위치에 눈높이를 맞춰 눈금을 읽습니다. 작은 눈금은 1 ℃ 간격으로 매겨져 있습니다.

8 ❶ 귀 체온계는 체온을 재는 온도계입니다.
❷ 주로 고체 물질의 온도를 재는 온도계는 적외선 온도계입니다.
❸ 알코올 온도계는 주로 액체나 기체 물질의 온도를 재는 온도계입니다.
❹ 물질의 차갑거나 따뜻한 정도를 나타내는 것은 온도입니다.

2일 열의 이동

1 온도   **2** 열   **3** 높은

1 (1) 예 높 (2) 예 낮   **2** ←
3 ㉠   **4** ㉡
5 ㉠  ㉡

집중 연습 문제

6 ④
7 ㉠ • ㉠ ➡ 얼음 ← 생선
         • ㉡ ➡ 철판 → 고기
         • ㉢ ➡ 공기 → 얼음

풀이

1 차가운 물의 온도는 점점 높아지고, 따뜻한 물의 온도는 점점 낮아집니다.

2 열은 온도가 높은 물질에서 온도가 낮은 물질로 이동합니다.

3 접촉한 두 물질의 온도가 변하는 까닭은 열의 이동 때문입니다.

4 온도가 다른 두 물질이 접촉한 채로 시간이 지나면 두 물질의 온도는 같아집니다.

5 ㉠의 경우 온도가 높은 삶은 달걀에서 온도가 낮은 차가운 물로, ㉡의 경우 온도가 높은 삶은 면에서 온도가 낮은 차가운 물로 열이 이동합니다.

6 ①, ②, ③, ⑤는 손의 온도가 낮아지는 경우입니다.

7 ㉡의 고기, ㉢의 얼음의 온도는 높아집니다.

3일 고체에서 열의 이동

27쪽 개념 체크

1 고체, 높은, 낮은 **2** 다릅니다 **3** 단열

28~29쪽 개념 확인하기

1 ② **2** ❶ 예 높은 ❷ 예 낮은 **3** ④
4 ③ **5** ㉣

똑똑한 하루 퀴즈

6

단	열	☆	플
구	☆	금	라
☆	리	속	스
종	류	판	틱

❶ 구리 ❷ 플라스틱 ❸ 단열

풀이

1 구리판에서 열은 가열한 부분에서 멀어지는 방향으로 이동합니다.

2 쇠막대에서 열은 온도가 높은 곳에서 온도가 낮은 곳으로 고체 물질을 따라 이동합니다

3 고체 물질에서 열이 이동하는 방법을 전도라고 합니다.

4 고체 물질의 종류에 따라 열이 이동하는 빠르기가 다릅니다.

5 집을 지을 때 집의 벽, 지붕, 바닥 등에 단열재를 사용하면 겨울이나 여름에 적절한 실내 온도를 오랫동안 유지할 수 있습니다.

6 ❶ 구리판은 철판과 유리판보다 열이 이동하는 빠르기가 빠릅니다.
❷ 주전자의 손잡이는 열이 잘 이동하지 않는 나무나 플라스틱 등으로 만듭니다.
❸ 단열은 물질 사이에서 열의 이동을 줄이는 것입니다.

4일 액체와 기체에서 열의 이동

33쪽 개념 체크

1 높 **2** 대류 **3** 난방

34~35쪽 개념 확인하기

1 ① **2** ⑤ **3** (1) ○ (2) × (3) ○
4 (1) ㉡ (2) ㉠ **5** 차가운, 따뜻한

집중 연습 문제

6 ㉢ · ㉠ ➡ 단열
· ㉡ ➡ 전도
· ㉢ ➡ 대류

7 ①, ②

풀이

1 파란색 잉크가 위로 올라갑니다.

2 주전자 바닥에 있는 물은 온도가 높아져 위로 올라가고 위에 있던 물은 아래로 밀려 내려옵니다.

3 기체에서도 액체에서와 같이 대류를 통해 열이 이동합니다.

4 에어컨은 높은 곳에 설치하고, 난로는 낮은 곳에 설치하는 것이 좋습니다.

5 에어컨에서 나오는 차가운 공기가 아래로 내려오는 성질과 난로 주변에서 데워진 따뜻한 공기가 위로 올라가는 성질을 이용합니다.

6 액체나 기체에서는 주로 대류를 통해 열이 이동합니다.

7 온도가 높아진 물질이 위로 올라가고 위에 있던 물질이 아래로 밀려 내려오는 과정을 대류라고 합니다. 액체나 기체는 주로 대류를 통해 열이 이동합니다.

38~41쪽 마무리하기 문제

1 ③　　　　2 ⑤　　　　3 이십오 점 영
4 (1) 예 낮아진다 (2) 예 높아진다　　　5 ㉡
6 ❶ 열 ❷ 예 이동　　　7 ㉡　　　8 ㉢
9 ㉢　　　　10 ④　　　11 ①　　　12 민희
13 ③　　　　14 ㉠

똑똑한 하루 퀴즈

15

풀이

1 온도는 물질의 차갑거나 따뜻한 정도를 숫자에
단위 ℃(섭씨도)를 붙여 나타낸 것입니다.

2 적외선 온도계는 온도 표시 창에 숫자로 온도가
표시됩니다.

3 알코올 온도계의 온도는 25.0 ℃입니다.

4 온도가 다른 두 물질이 접촉하면 따뜻한 물질의
온도는 점점 낮아지고 차가운 물질의 온도는 점점
높아집니다.

(인정 답안)

(1)에 낮아진다, (2)에 높아진다와 비슷한 내용을 쓰면 정답
으로 인정합니다.

인정 답안의 예

(1) 점점 낮아진다. 내려간다. 등
(2) 점점 높아진다. 올라간다. 등

5 온도가 높은 생선에서 온도가 낮은 얼음으로 열이
이동합니다.

6 접촉한 두 물질의 온도가 변하는 까닭은 접촉한 두
물질 사이에서 열이 이동하기 때문입니다.

7 고체 물질이 끊어져 있는 부분으로는 열이 잘 이동
하지 않습니다.

8 고체에서 열은 온도가 높은 곳에서 온도가 낮은 곳
으로 고체 물질을 따라 이동합니다.

9 고체 물질의 종류에 따라 열이 이동하는 빠르기가
다릅니다. 유리보다 금속에서 열이 더 빠르게 이동
합니다.

10 냄비의 몸체나 바닥은 주로 열이 이동하는 빠르기
가 빠른 금속으로 만듭니다.

11 파란색 잉크는 위로 올라가고, 시간이 지나면 물
전체가 파란색으로 변합니다.

12 주전자 바닥에 있는 물은 온도가 높아져 위로 올라
가고, 위에 있던 물은 아래로 밀려 내려옵니다.

13 액체와 기체에서는 주로 가열된 물질이 이동하는
대류를 통해 열이 이동합니다.

14 난로 주변의 뜨거워진 공기는 위로 올라갑니다.

15 ❶은 온도계, ❷는 온도, ❸은 전도, ❹는 대류,
❺는 액체, ❻은 고체입니다.

1주 | TEST+특강

42~43쪽 누구나 100점 TEST

1 ③　　　　2 (1) ㉢ (2) ㉡ (3) ㉢　　　3 ④
4 (1) 고리 (2) 액체샘 (3) 눈금　　　5 ④
6 (1) ○　　　7 ②
8 (1)　　　(2)　　　(3)

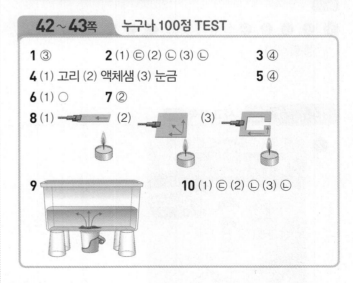

9　　　　10 (1) ㉢ (2) ㉡ (3) ㉡

풀이

2 교실 벽의 온도는 적외선 온도계로, 기온(공기의
온도)과 물의 온도는 알코올 온도계로 측정합니다.

4 알코올 온도계는 고리, 몸체, 액체샘으로 이루어져 있습니다.

5 차가운 물과 따뜻한 물이 접촉하면 따뜻한 물의 온도는 낮아지고, 차가운 물의 온도는 높아집니다. 시간이 지나면 두 물질의 온도는 같아집니다.

6 온도가 다른 두 물질이 접촉하면 온도가 높은 물질에서 온도가 낮은 물질로 열이 이동합니다.

7 열은 온도가 높은 생선에서 온도가 낮은 얼음으로 이동합니다.

8 고체에서 열의 이동 방향은 가열한 부분에서 멀어지는 방향으로 이동하고, 끊겨 있으면 그 방향으로 이동하지 않습니다.

9 뜨거워진 액체는 위로 올라갑니다.

10 고체에서 열의 이동 방법을 전도라고 하고, 액체와 기체에서는 주로 대류를 통해 열이 이동합니다. 단열은 열의 이동을 막는 것을 말합니다.

45쪽　　생활 속 과학 (융합)

❶ ③

풀이

❶ ❶, ❹, ❽, ❾ 설명은 맞고, ❷, ❸, ❺, ❻, ❼ 설명은 틀립니다.

46~47쪽　　사고 쑥쑥 (창의)

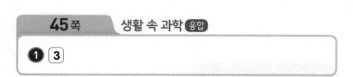

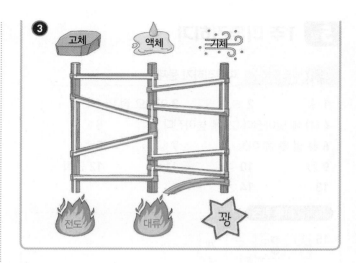

풀이

❷ 흙과 철봉의 온도는 적외선 온도계로 측정해야 하고, 연못의 물과 공기의 온도는 알코올 온도계로 측정해야 합니다.

❸ 고체에서 열이 이동하는 방법은 전도, 액체나 기체에서 열이 이동하는 방법은 대류입니다.

48~49쪽　　논리 탄탄 (코딩)

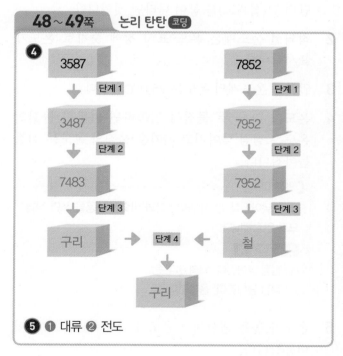

❺ ❶ 대류 ❷ 전도

풀이

❹ 철보다 구리에서 열이 더 빠르게 이동합니다.

❺ 단열은 열의 이동 방법이 아니라 두 물질 사이에서 열의 이동을 줄이는 것을 말합니다.

2주 태양계와 별

1일 태양계

57쪽 개념 체크

1 태양　　**2** 소행성　　**3** 기체

58~59쪽 개념 확인하기

1 ④　　　　**2** ㉢　　　　**3** ③　　　　**4** ③
5 ㉠　　　　**6** (1) ㉠ (2) ㉡

똑똑한 하루 퀴즈

7

양	분	☆	☆
☆	위	땅	고
행	성	☆	리
태	양	계	☆

❶ 양분　❷ 태양계　❸ 행성　❹ 위성　❺ 땅

풀이

1 우리가 살아가는 데 필요한 대부분의 에너지는 태양에서 얻습니다. 태양이 없으면 지구에 생물이 살기 어렵습니다.

2 태양이 없었다면 지구는 차갑게 얼어붙었을 것입니다.

> **왜 틀렸을까?**
> ㉠ 태양 빛으로 인해 병에 걸리는 것은 태양이 소중한 까닭이 아닙니다.
> ㉡ 태양 빛을 이용해 스스로 양분을 만드는 것은 식물입니다.

3 지구는 태양계에 속해 있습니다. 태양계는 태양과 태양의 영향을 받는 천체들 그리고 그 공간을 말합니다. 태양계는 태양, 행성, 위성, 소행성, 혜성 등으로 구성됩니다. 목성은 태양계에서 가장 큰 행성입니다.

4 지구처럼 태양 주위를 도는 둥근 천체를 행성이라고 합니다. 태양계 행성에는 수성, 금성, 지구, 화성, 목성, 토성, 천왕성, 해왕성이 있습니다.

5 달은 지구의 위성입니다. 목성과 수성은 태양계 행성입니다.

6 수성, 금성, 지구, 화성은 표면에 땅이 있고, 목성, 토성, 천왕성, 해왕성은 땅이 없으며 표면이 기체로 되어 있습니다.

7 ❶ 식물이 양분을 만드는 데에는 태양 빛이 필요합니다.
❷ 태양과 태양의 영향을 받는 천체들 그리고 그 공간을 태양계라고 합니다.
❸ 지구처럼 태양 주위를 도는 천체를 행성이라고 합니다.
❹ 달처럼 행성 주위를 도는 천체를 위성이라고 합니다.
❺ 화성과 금성은 표면에 땅이 있습니다.

2일 태양계 행성의 크기와 행성까지의 거리

63쪽 개념 체크

1 목성　　**2** 화성　　**3** 수성

64~65쪽 개념 확인하기

1 ③　　　　**2** ㉠ 예 멀리 ㉡ 예 오랜　　**3** ⑤
4 ㉡

집중 연습 문제

5 ㉠
6 (1) 금성 (2) 수성

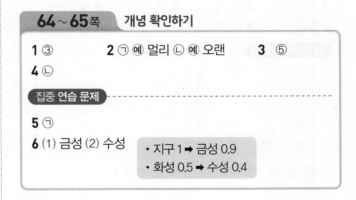
- 지구 1 ➡ 금성 0.9
- 화성 0.5 ➡ 수성 0.4

풀이

1 태양의 반지름은 지구의 반지름보다 약 109배가 큽니다. 그래서 태양과 지구를 비교하면 지구는 작은 점처럼 보입니다.

2 태양은 지구에서 매우 멀리 떨어져 있어 태양까지 가는 데 오랜 시간이 걸립니다.

3 태양계 행성 중 태양에서 가장 가까운 행성은 수성이고, 가장 먼 행성은 해왕성입니다. 태양에서 거리가 멀어질수록 행성 사이의 거리도 멀어집니다.

4 수성, 금성, 지구, 화성과 같은 행성은 목성, 토성, 천왕성, 해왕성과 같은 행성에 비하여 상대적으로 태양 가까이에 있습니다.

5 태양계 행성 중에서 가장 작은 것은 수성입니다.

> 【 왜 틀렸을까? 】
> ⓒ 지구는 수성, 금성, 화성보다 큽니다.
> ⓒ 지구의 반지름을 1로 보았을 때 천왕성은 4.0 정도입니다.

6 지구와 상대적인 크기가 비슷한 행성은 금성이고, 화성과 상대적인 크기가 비슷한 행성은 수성입니다.

3일 별과 별자리

69쪽 개념 체크

1 별자리　　**2** 매우 먼　　**3** 행성

70~71쪽 개념 확인하기

1 ⑤　　　　**2** ⓒ　　　　**3** ④　　　　**4** 북두칠성
5 행성　　　**6** (1) ⓒ (2) ⓒ

똑똑한 하루 퀴즈

7

지	☆	거	별
☆	역	리	자
관	측	☆	리
☆	행	성	☆

❶ 별자리　❷ 지역　❸ 관측　❹ 행성

풀이

1 옛날 사람들이 밤하늘에 무리 지어 있는 별을 연결해 사람이나 동물 또는 물건의 모습으로 떠올리고 이름을 붙인 것을 별자리라고 합니다.

2 태양처럼 스스로 빛을 내는 천체를 별이라고 합니다. 목성처럼 태양 주위를 도는 둥근 천체를 행성이라고 합니다.

3 별을 관측할 때는 주변이 탁 트이고 밝지 않은 곳이 좋습니다.

4 북두칠성은 큰곰자리의 꼬리 부분에 해당하는 일곱 개의 별로 이루어진 국자 모양의 별자리입니다.

5 행성은 별보다 지구에 가까이 있기 때문에 별자리 사이에서 위치가 서서히 변합니다.

6 별은 행성에 비해 지구에서 매우 먼 거리에 있습니다.

7 ❶ 옛날 사람들이 밤하늘에 무리 지어 있는 별을 연결해 사람이나 동물 또는 물건의 모습으로 떠올리고 이름을 붙인 것을 별자리라고 합니다.
❷ 별자리의 모습과 이름은 시대와 지역에 따라 다릅니다.
❸ 주변이 탁 트이고 밝지 않은 곳이 별을 관측하기에 적당합니다.
❹ 행성은 별보다 지구 가까이에 있습니다.

4일 북극성 찾기

75쪽 개념 체크

1 별　　　　**2** 북극성　　　　**3** 북

76~77쪽 개념 확인하기

1 ⑩ 별, 별자리　　　　**2** ⓒ
3 ⓒ 북두칠성 ⓒ 카시오페이아자리　　　　**4** ④
5 ⑤　　　　**6** ⑩ 다섯(5)

똑똑한 하루 퀴즈

7

북	극	성	☆
쪽	두	☆	엠
☆	별	칠	☆
더	블	유	성

❶ 별　❷ 북극성　❸ 북쪽　❹ 북두칠성　❺ 엠, 더블유

풀이

1 옛날 사람들은 낮에는 태양을 보고, 밤에는 별을 보고 방위를 알 수 있었습니다.

2 북극성은 정확한 북쪽에 항상 있습니다.

3 ㉠은 북두칠성이고, ㉡은 카시오페이아자리입니다.

4 북두칠성과 카시오페이아자리는 북쪽 밤하늘 별자리입니다.

5 북두칠성의 국자 모양 끝부분 두 별을 찾은 뒤 두 별을 연결하고, 그 거리의 다섯 배만큼 떨어진 곳에 있는 별을 찾습니다.

6 카시오페이아자리에서 바깥쪽 두 선을 연장해 만나는 점 ㉠을 찾습니다. ㉠과 ㉡을 연결하고 그 거리의 다섯 배만큼 떨어진 곳에 있는 별을 찾으면, 그 별이 북극성입니다.

7 ❶ 옛날 사람들은 밤에 별을 보고 방위를 알 수 있었습니다.
❷ 북극성은 정확한 북쪽에 항상 있습니다.
❸ 북쪽 밤하늘 별자리는 언제나 북쪽 하늘에서 보입니다.
❹ 국자 모양의 별자리는 북두칠성입니다.
❺ 카시오페이아자리는 엠(M)자나 더블유(W)자 모양입니다.

5일 2주 마무리하기

80~83쪽 마무리하기 문제

1 ③　　　　**2** 태양계　　　**3** ㉡　　　　**4** 예 땅
5 (1) ㉡ (2) ㉠　　　　　**6** ③　　　　**7** 예 수성, 금성, 지구, 화성과 같은 행성은 목성, 토성, 천왕성, 해왕성과 같은 행성에 비해 상대적으로 태양 가까이에 있다. 태양에서 거리가 멀어질수록 행성 사이의 거리도 멀어진다. 등
8 ②　　　　**9** (1) ○ (2) × (3) ○　　　　**10** ㉡
11 ④　　　　**12** (1) ㉠ (2) ㉡　　　　**13** ⑤

똑똑한 하루 퀴즈

14

①②태	양	계		③해
양				왕
		④⑤북	두	칠	성
		극		
⑥위	성			

1 태양이 없었다면 지구는 차갑게 얼어붙었을 것입니다.

2 태양계는 태양과 태양의 영향을 받는 천체들 그리고 그 공간을 말합니다.

3 목성은 태양계 행성이고, 달은 지구 주위를 도는 위성입니다.

4 수성, 금성, 지구, 화성은 표면에 땅이 있습니다. 목성, 토성 천왕성, 해왕성은 땅이 없으며 표면이 기체로 되어 있습니다.

5 수성, 금성, 화성은 지구보다 작은 행성이고, 목성, 토성, 천왕성, 해왕성은 지구보다 큰 행성입니다.

6 지구와 반지름이 가장 비슷한 행성은 금성입니다.

7 수성, 금성, 지구, 화성은 목성, 토성, 천왕성, 해왕성에 비하면 상대적으로 태양 가까이에 있습니다.

> 【 인정 답안 】
> 수성, 금성, 지구, 화성은 가깝고, 목성, 토성, 천왕성, 해왕성은 멀다는 표현이 있으면 정답으로 인정합니다.
>
> **인정 답안의 예**
> • 수성, 금성, 지구, 화성은 태양에 가깝다.
> • 목성, 토성, 천왕성, 해왕성은 태양에서 멀다. 등

8 태양처럼 스스로 빛을 내는 천체를 별이라고 합니다.

9 별자리는 옛날 사람들이 밤하늘에 무리 지어 있는 별을 연결해 사람이나 동물 또는 물건의 모습을 떠올리고 이름을 붙인 것입니다.

10 태양과 다르게 별이 밤하늘에서 반짝이는 점으로 보이는 까닭은 태양보다 너무 멀리 있기 때문입니다.

11 북극성은 정확한 북쪽에 항상 있어 나침반 역할을 합니다.

12 북두칠성과 카시오페이아자리는 북쪽 밤하늘에서 보이는 별자리로, 북두칠성은 국자 모양이고, 카시오페이아자리는 엠(M)자나 더블유(W)자 모양입니다.

13 ㉠과 ㉡을 연결하고 그 거리의 다섯 배만큼 떨어진 곳에 있는 별이 북극성입니다.

14 ❶은 태양계, ❷는 태양, ❸은 해왕성, ❹는 북두칠성, ❺는 북극성, ❻은 위성입니다.

2주 | TEST＋특강

84~85쪽   누구나 100점 TEST

1 ㉢   **2** (1) × (2) ○ (3) ○   **3** ㉠
4 ③   **5** ㉠ 수성 ㉡ 해왕성   **6** 별
7 카시오페이아자리   **8** ④   **9** ①
10 ㉢

풀이

1 태양이 없었다면 지구는 차갑게 얼어붙었을 것입니다.

2 태양계의 중심에 있는 천체는 태양입니다.

3 태양계 행성 중 지구보다 크기가 작은 것은 수성, 금성, 화성입니다.

4 태양계 행성 중 가장 큰 것은 목성입니다.

5 태양에서 가장 가까운 행성은 수성이고, 가장 먼 행성은 해왕성입니다.

6 별자리는 밤하늘에 무리 지어 있는 별을 연결해 사람이나 동물 또는 물건의 모습을 떠올리고 이름을 붙인 것입니다.

7 엠(M)자나 더블유(W)자 모양의 카시오페이아자리의 모습입니다.

8 행성은 별보다 지구 가까이 있기 때문에 별자리 사이에서 위치가 서서히 변합니다.

9 북두칠성은 북쪽 밤하늘에서 볼 수 있으며, 일곱 개의 별로 이루어진 국자 모양의 별자리입니다.

> **〔 왜 틀렸을까? 〕**
> ② 사자자리는 봄철의 대표적인 별자리로 남쪽 하늘에서 보입니다.
> ③ 작은곰자리는 북극성을 포함하고 있는 별자리입니다.
> ④ 카시오페이아자리는 엠(M)자나 더블유(W)자 모양의 별자리입니다.

10 북극성은 북두칠성 국자 모양의 끝부분에 있는 두 별을 연결한 거리의 다섯 배 만큼 떨어진 곳에 있습니다.

87쪽   생활 속 과학 융합

❶ ❶ 태양 ❷ 해왕성 ❸ 별자리 ❹ 북극성

풀이

❶ 태양계의 중심에 있으며 스스로 빛을 내는 천체는 태양이고, 태양에서 가장 멀리 떨어진 행성은 해왕성입니다. 별을 무리 지어 이름을 붙인 것은 별자리이고, 북두칠성을 이용하여 찾을 수 있는 별은 북극성입니다.

88~89쪽   사고 쑥쑥 창의

❷ ❶ 위성 ❷ 태양계 ❸ 수성
❸ ❶ 북두칠성 ❷ 예 다섯(5) ❸ 북

풀이

❷ 달처럼 행성 주위를 도는 천체는 위성입니다. 태양과 태양의 영향을 받는 천체들 그리고 그 공간을 태양계라고 합니다. 태양에서 거리가 가장 가까운 행성은 수성입니다.

❸ 북두칠성은 국자 모양의 별자리입니다. 북두칠성에서 국자 모양 끝부분의 별 두 개를 연결하고 그 거리의 다섯 배 만큼 떨어진 곳에 있는 별이 북극성입니다. 북극성은 정확한 북쪽에 있습니다.

90~91쪽   논리 탄탄 코딩

❹ ❶ 목성, 토성 ❷ 금성, 수성
❺ 태양계, 행성

풀이

❹ 목성과 토성은 지구보다 큰 행성이고, 금성과 수성은 지구보다 작은 행성입니다.

❺ 태양계는 태양과 태양의 영향을 받는 천체들 그리고 그 공간을 말하고, 행성은 태양 주위를 도는 천체를 말합니다.

1일 용해와 용액

99쪽 개념 체크

1 없   **2** 용해   **3** 용액

100~101쪽 개념 확인하기

1 멸치 가루   **2** 소금, 설탕   **3** (1) × (2) ○ (3) ○
4 용매   **5** ④   **6** 용해

똑똑한 하루 퀴즈

7

멸	가	용	해
☆	기	액	질
루	설	체	☆
물	소	탕	명
고	☆	금	양

❶ 용액
❷ 소금
❸ 용해

풀이

1 멸치 가루는 물에 녹지 않습니다.

2 소금과 설탕은 물에 녹습니다.

3 어떤 물질에 녹는 물질은 용질입니다.

4 설탕물을 만들 때 설탕은 용질, 물은 용매입니다.

5 용액은 녹는 물질이 녹이는 물질에 골고루 섞여 있는 물질로, 오래 두어도 뜨거나 가라앉는 것이 없습니다.

6 소금이 물에 녹는 것처럼 어떤 물질이 다른 물질에 녹아 골고루 섞이는 현상을 용해라고 합니다.

7 ❶ 용질이 용매에 녹아 골고루 섞여 있는 물질은 용액입니다.
❷ 소금물을 만들 때 용질은 소금입니다.
❸ 설탕은 물에 용해되어 설탕물 용액이 됩니다.

2일 용질의 용해

105쪽 개념 체크

1 무게   **2** 양   **3** 설탕

106~107쪽 개념 확인하기

1 ㉡   **2** =   **3** ②
4 (1) × (2) × (3) ○   **5** ③

집중 연습 문제

6 ㉢   **7** 소금, 베이킹 소다

풀이

1 각설탕이 물에 용해되면 작은 설탕 입자로 흩어지면서 물과 골고루 섞입니다.

【 왜 틀렸을까? 】
㉠ 각설탕의 크기가 점점 작아집니다.
㉢ 각설탕이 작은 크기의 설탕으로 부서져 물에 골고루 섞이고, 완전히 용해되면 눈에 보이지 않습니다.

2 용매에 용질을 용해시켜 용액을 만들 때 용액의 무게는 용매의 무게와 용질의 무게를 합한 것과 같습니다.

3 각설탕이 물에 용해되면 용해되기 전과 비교하여 무게가 변하지 않습니다. 용해되기 전의 설탕과 물의 무게가 142 g이었다면 설탕 용액의 무게도 142 g이 됩니다.

4 용질이 물에 용해되는 양은 설탕>소금>베이킹 소다 순으로 설탕이 가장 많이 녹고, 베이킹 소다가 가장 적게 녹습니다.

【 왜 틀렸을까? 】
(1) 물의 온도와 물의 양을 모두 같게 해 주어야 합니다.
(2) 설탕, 소금, 베이킹 소다가 온도와 양이 같은 물에 용해되는 양은 모두 다릅니다.

5 온도와 양이 같은 물에 한 숟가락씩 넣었을 때는 소금, 설탕, 베이킹 소다가 모두 용해됩니다.

6 용질의 종류만 설탕, 소금, 베이킹 소다로 다르게 해 주어야 하고, 나머지 조건은 모두 같게 해 주어야 합니다.

7 베이킹 소다는 두 숟가락 넣었을 때부터, 소금은 여덟 숟가락 넣었을 때부터 다 용해되지 않고 바닥에 가라앉습니다.

3일 온도와 용질의 용해

111쪽 개념 체크

1 높 　　**2** 백반 　　**3** 온도

112~113쪽 개념 확인하기

1 ② 　　**2** (1) ⓒ (2) ⓒ **3** 수인 　　**4** 많아

5 ④ 　　**6** ⓒ

똑똑한 하루 퀴즈

7

설	온	열	용
★	탕	도	따
차	★	뜻	코
가	한	용	명
운	해	압	★

❶ 온도 ❷ 용해 ❸ 따뜻한

풀이

1 물의 온도만 다르게 하고, 다른 조건은 같게 실험해야 합니다.

2 백반은 따뜻한 물에서 모두 용해되었고, 차가운 물에서 모두 용해되지 않았습니다.

3 물의 온도가 높을수록 백반이 많이 녹고, 물의 온도가 낮을수록 백반이 적게 녹습니다.

> **왜 틀렸을까?**
> 주호 : 비커의 크기와 백반의 녹는 양은 관계가 없습니다.
> 은수 : 물의 양이 많을수록 백반이 많이 녹습니다.

4 물의 온도가 높으면 백반이 더 많이 용해됩니다.

5 백반이 녹아 있는 따뜻한 용액을 차갑게 하면 더 이상 녹아 있을 수 없게 된 백반이 다시 생깁니다.

6 물의 온도가 높으면 코코아 가루가 더 많이 용해됩니다.

7 ❶ 온도에 따라 백반이 용해되는 양을 비교하는 실험에서 다르게 해야 할 조건은 물의 온도입니다.
❷ 백반은 물의 온도가 높을수록 많이 용해됩니다.
❸ 코코아차를 만들 때 코코아 가루를 따뜻한 물에 넣어야 잘 녹습니다.

4일 용액의 진하기 비교

117쪽 개념 체크

1 진 　　**2** 무겁 　　**3** 진

118~119쪽 개념 확인하기

1 같아야, 다르게 　　**2** ⓒ 　　**3** ③

4 ①, ⑤ 　　**5** ⓒ

집중 연습 문제

6 ㉠
> • 색깔이 더 진하다.
> • 높이가 더 높다.
> • 무게가 더 무겁다.
> • 물체가 더 높이 뜬다.

7 ⓒ

풀이

1 용액의 진하기는 같은 양의 용매에 용해된 용질의 많고 적은 정도를 말합니다.

2 용액의 색깔이 진할수록 황설탕이 더 많이 용해된 용액입니다.

3 진하기가 다른 두 황설탕 용액은 맛, 색깔, 무게, 비커에 담긴 용액의 높이 등을 측정하여 용액의 진하기를 비교할 수 있습니다.

4 백설탕 용액은 무색투명하여 색깔로 진하기를 비교할 수 없습니다. 용액의 무게를 비교하거나 작은 물체를 띄워 물체가 뜨는 정도를 비교합니다.

5 용액에 방울토마토와 같은 작은 물체를 넣었을 때 높이 떠오를수록 진한 용액입니다.

6 용액이 진하면 높이가 더 높습니다.

> **왜 틀렸을까?**
> ⓒ 진한 황설탕 용액은 색깔이 더 진합니다.
> ⓒ 진한 황설탕 용액의 맛이 더 답니다.
> ⓔ 진한 황설탕 용액의 무게가 더 무겁습니다.

7 메추리알이 낮게 떠오를수록 백설탕이 적게 녹은 용액입니다.

122~125쪽　마무리하기 문제

1 ㉠ 용질　㉡ 용매		**2** 윤지	**3** ④
4 ㉠	**5** (2) ○	**6** ㉢	**7** ㉡
8 ②, ③	**9** ㉡	**10** ㉡, ㉢, ㉠	

11 예 비커에 설탕을 더 넣어 용해시킨다. 등

똑똑한 하루 퀴즈

14

①②용	해		③④용	매
질			액	
		⑤⑥백	설	탕
		반		

풀이

1 소금(용질)이 물(용매)에 용해되어 소금물(용액)이 됩니다.

2 물은 설탕을 녹이는 용매이고, 설탕물은 오래 두어도 가라앉거나 떠 있는 물질이 없습니다.

3 미숫가루 물은 시간이 지나면 바닥에 가라앉는 물질이 생기므로 용액이 아닙니다.

4 각설탕이 물에 용해되면 작은 설탕 입자로 흩어지면서 물과 골고루 섞이게 되어 눈에 보이지 않게 되지만 각설탕이 없어진 것은 아닙니다.

5 용질이 용매에 용해되면 없어지는 것이 아니라 용매와 골고루 섞여 용액이 됩니다.

6 베이킹 소다를 두 숟가락 넣었을 때 모두 용해되지 않고 가라앉습니다.

7 차가운 물에서는 백반이 다 용해되지 않고 바닥에 가라앉습니다.

8 용해되지 않은 백반을 용해시키려면 물의 양을 많게 하거나 물의 온도를 높여 주면 됩니다.

9 색깔이 진할수록 황설탕이 많이 녹아 무거운 용액입니다.

10 메추리알이 높이 떠오를수록 진한 용액입니다.

11 용매에 용질을 많이 용해시킬수록 용액이 진해져 용액에 넣은 물체가 높이 떠오릅니다.

〔 인정 답안 〕

진한 용액으로 만드는 방법을 옳게 썼으면 정답으로 인정합니다.

인정 답안의 예

・설탕을 더 넣어 녹인다. 등

12 ❶은 용해, ❷는 용질, ❸은 용매, ❹는 용액, ❺는 백설탕, ❻은 백반입니다.

3주 | TEST + 특강

126~127쪽　누구나 100점 TEST

1 ②	**2** ①	**3** ⑤	**4** 90
5 설탕	**6** ㉡	**7** ⑤	**8** (1) ㉡ (2) ㉠
9 ㉢	**10** 백설탕		

풀이

1 소금은 용질이고, 소금이 물에 골고루 섞여 있는 소금물은 용액입니다.

2 소금과 설탕은 물에 모두 녹고, 멸치 가루는 물에 녹지 않습니다.

3 각설탕을 물에 넣으면 큰 덩어리의 각설탕이 작은 설탕으로 나뉘어 물에 녹아 눈에 보이지 않게 됩니다.

4 소금이 물에 용해되기 전 소금의 무게와 물의 무게를 합한 무게는 용해된 후 소금물의 무게와 같습니다.

5 설탕은 모두 용해되었고, 소금은 여덟 숟가락을 넣어 녹일 때, 베이킹 소다는 두 숟가락을 넣어 녹일 때 용해되지 않고 바닥에 가라앉습니다. 따라서 온도와 양이 같은 물에 가장 많이 용해되는 용질은 설탕입니다.

6 같은 양의 물에 온도만 다르게 하여 같은 양의 백반을 녹였으므로 물의 온도에 따른 백반이 용해되는 양을 알아보는 실험입니다.

7 물의 온도가 낮아지면 녹을 수 있는 백반의 양이 줄어들기 때문에 녹아 있던 백반이 알갱이로 다시 생깁니다.

8 황설탕 용액은 용액의 색깔이 진할수록, 백설탕 용액은 방울토마토가 높이 뜰수록 용매에 용질이 많이 용해된 진한 용액입니다.

9 방울토마토가 높이 떠오를수록 설탕이 많이 녹아 있는 용액입니다.

10 백설탕을 더 넣어 진한 용액이 되면 방울토마토가 더 높이 떠오릅니다.

129쪽　　생활 속 과학 융합

❶ ❶ 빠르게 ❷ 작을 ❸ 많을, 높을

풀이

❶ 설탕을 빠르게 저을수록, 설탕의 알갱이 크기가 작을수록, 물의 온도가 높거나 물의 양이 많을수록 빨리 녹습니다.

130~131쪽　　사고 쑥쑥 창의

❷ ❶ B약, C약, A약 ❷ 예 많은
❸ ❶ 알코올램프 ❷ 스포이트 ❸ 삼각 플라스크
　　❹ 전자저울

풀이

❷ 물의 온도와 양이 같을 때는 용질마다 물에 용해되는 양이 달라집니다. 물의 양이 많아지면 용해되는 용질의 양이 많아집니다.

❸ 녹는 물질이 녹이는 물질에 골고루 섞이는 현상은 용해입니다. 각설탕이 물에 용해되기 전과 후의 무게는 같고, 백반은 따뜻한 물에서 잘 녹습니다. 진한 용액일수록 황설탕 용액의 색깔이 진합니다.

132~133쪽　　논리 탄탄 코딩

❹ 사이다　　　　**❺** 진한, 아래

풀이

❹ 콜라(탄산음료)는 용액이고, 우유는 용액이 아닙니다.

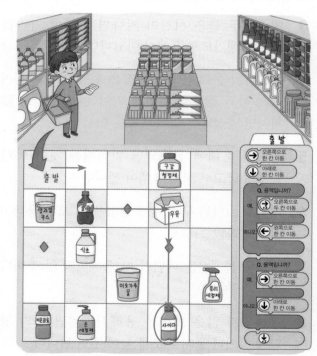

❺ 진한 용액일수록 무게가 무거우므로 아래쪽으로 내려갑니다.

4주 다양한 생물과 우리 생활

1일 균류

1 현미경   2 균사   3 양분

142~143쪽 개념 확인하기

1 곰팡이   2 ⑤   3 ㉡
4 ②   5 ⑤

집중 연습 문제

6 균사   균사   7 ㉡
　　　　　　　　　　　　　　　　　 · ㉠ ➡ 식물
　　　　　　　　　　　　　　　　　 · ㉡ ➡ 균류
　　　　　　　　　　　　　　　　　 · ㉢ ➡ 동물

풀이

1 가는 선과 작은 알갱이가 보이는 것으로 보아 돋보기로 곰팡이를 관찰한 모습임을 알 수 있습니다.

2 곰팡이와 버섯은 실체 현미경으로 보면 돋보기보다 더 확대해서 볼 수 있습니다.

3 곰팡이는 식물처럼 뿌리, 줄기, 잎으로 이루어져 있지 않고 몸 전체가 균사로 이루어져 있습니다.

4 ①, ③, ④, ⑤는 식물로 줄기와 잎이 있고, ②는 균류로 줄기와 잎이 없습니다.

5 곰팡이와 버섯은 따뜻하고 축축한 환경에서 잘 자라며 주로 죽은 생물이나 다른 생물에서 양분을 얻습니다.

6 버섯과 곰팡이 같은 균류는 가늘고 긴 균사로 이루어져 있습니다.

7 균류는 포자로 번식합니다.

2일 원생생물

147쪽 개념 체크

1 길쭉한   2 초록   3 단순한

148~149쪽 개념 확인하기

1 ⑤   2 ㉡   3 해캄
4 ㉠   5 ⑤   6 ㉢

똑똑한 하루 퀴즈

7
원	통	송	짚
자	생	솔	신
마	활	생	명
벌	디	키	물

❶ 짚신
❷ 마디
❸ 원생

풀이

1 해캄은 초록색이고 가늘고 긴 머리카락 모양입니다.

2 짚신벌레 영구 표본은 돋보기로 보아도 생김새가 잘 보이지 않으므로, 광학 현미경으로 더 크게 확대해서 관찰해야 합니다.

3 초록색의 알갱이들이 보이는 것으로 보아 해캄을 관찰한 것임을 알 수 있습니다.

4 안에 초록색 알갱이가 들어 있는 것은 해캄이고, 짚신벌레와 해캄은 모두 광학 현미경을 사용해야 자세한 모습을 볼 수 있습니다.

5 원생생물은 생김새가 단순하고, 동물, 식물, 균류로 분류되지 않습니다.

6 곰팡이는 균류에 속하는 생물입니다.

7 ❶ 짚신벌레는 짚신과 비슷한 모양으로 길쭉하고 바깥쪽에 가는 털이 있습니다.
　❷ 해캄을 광학 현미경으로 확대해서 관찰하면 마디로 나누어져 있고, 초록색의 둥근 알갱이가 보입니다.
　❸ 해캄과 같이 동물, 식물, 균류로 분류되지 않으며, 생김새가 단순한 생물을 원생생물이라고 합니다.

3일 세균

153쪽 개념 체크

1 세균   2 꼬리   3 짧은

154~155쪽 개념 확인하기

1 ④	2 ㉢	3 ②
4 하영	5 ㉢	

집중 연습 문제

6 ⑤	7 ㉠, ㉡, ㉢	⑩ 살아

풀이

1 세균은 균류나 원생생물보다 크기가 더 작고 생김새가 단순한 생물입니다.

2 세균은 크기가 매우 작아 배율이 높은 현미경을 사용해야 관찰할 수 있습니다.

3 ①, ④는 균류, ③은 원생생물에 해당합니다.

4 세균의 종류에 따라 세균의 모양은 다양합니다.

5 세균은 번식 속도가 빨라 살기에 알맞은 조건이 되면 짧은 시간 안에 많은 수로 늘어납니다.

6 세균은 물, 공기, 다른 생물의 몸속에서도 살 수 있습니다.

7 세균은 물, 흙, 손뿐만 아니라 컴퓨터 자판, 연필 등과 같은 물체에서도 살 수 있습니다.

4일 다양한 생물과 우리 생활

159쪽 개념 체크

1 먹이	2 질병	3 첨단

160~161쪽 개념 확인하기

1 이로운 영향	2 ①, ②	3 ㉢
4 생명 과학	5 ㉢	6 ㉡

똑똑한 하루 퀴즈

7
소	질	활	동
소	병	생	난
줄	산	소	명
소	장	간	치

① 산소
② 질병
③ 생명

풀이

1 일부 균류와 세균은 여러 가지 음식을 만드는 데 도움을 줍니다.

2 ①, ②는 다양한 생물이 우리 생활에 미치는 해로운 영향이고, ③, ④, ⑤는 다양한 생물이 우리 생활에 미치는 이로운 영향입니다.

3 다양한 생물은 우리 생활에 이로운 영향을 주기도 하고 해로운 영향을 주기도 합니다.

4 첨단 생명 과학은 최신의 생명 과학 기술이나 연구 결과를 활용하여 일상생활의 다양한 문제를 해결하는 데 도움을 줍니다.

5 ㉠과 같은 생물의 특성은 하수 처리를 하는 데 활용할 수 있고, ㉡과 같은 생물의 특성은 건강식품을 생산하는 데 활용할 수 있습니다.

6 ㉠과 같이 버섯으로 음식을 해 먹는 것은 최신의 생명 과학 기술이나 연구 결과를 활용한 것이 아닙니다.

7 ①은 산소, ②는 질병, ③은 생명입니다.

5일 4주 마무리하기

164~167쪽 마무리하기 문제

1 ㉡	2 ②	3 ③	4 ㉢
5 ⑤	6 ⑩ 짚신과 비슷한 모양이다. 길쭉한 모양이고 바깥쪽에 가는 털이 있다. 등		7 ㉡
8 수민	9 ④	10 ②	11 ㉠, ㉣
12 ㉡	13 ㉢		

똑똑한 하루 퀴즈

14

1 ㉠은 표고버섯, ㉡은 빵에 자란 곰팡이를 관찰한 모습입니다.

2 균류는 포자로 번식합니다.

3 곰팡이와 버섯은 따뜻하고 축축한 환경에서 잘 자라고 주로 여름철에 많이 볼 수 있습니다.

4 곰팡이는 주로 죽은 생물이나 다른 생물에서 양분을 얻습니다.

> **(왜 틀렸을까?)**
> ㉠ 스스로 양분을 만드는 것은 식물입니다.
> ㉡ 곰팡이는 죽은 생물이나 다른 생물에서 양분을 얻어야 살아갈 수 있습니다.

5 해캄, 반달말, 짚신벌레는 동물이나 식물, 균류, 세균으로 분류되지 않으며 생김새가 단순한 원생 생물에 속합니다.

▲ 해캄 　　　　▲ 반달말 　　　　▲ 짚신벌레

6 짚신벌레는 짚신처럼 길쭉한 모양이고, 바깥쪽에 가는 털이 있습니다.

> **(인정 답안)**
> 짚신벌레의 전체적인 모양이 아니라 안쪽의 모습을 관찰한 내용도 정답으로 인정합니다.
>
> **인정 답안의 예**
> • 짚신벌레 안쪽에는 모양이 다른 여러 가지 부분이 보인다.
> • 짚신벌레 안쪽에는 여러 가지 다른 모양이 보인다. 등

7 짚신벌레와 해캄은 물이 고인 곳이나 물살이 느린 하천 등에서 삽니다.

8 세균은 균류나 원생생물보다 크기가 더 작고 생김 새도 단순합니다.

9 ①은 공 모양 세균, ②는 막대 모양 세균, ③은 나선 모양 세균입니다.

10 세균은 공기, 물, 흙, 다른 생물의 몸 등 우리 주변 어느 곳에서나 살 수 있습니다.

11 균류나 세균을 이용하여 만든 음식에는 된장, 김치, 요구르트, 치즈 등이 있습니다.

12 ㉠, ㉢은 다양한 생물이 우리 생활에 주는 해로운 영향이고, ㉡은 다양한 생물이 우리 생활에 주는 이로운 영향입니다.

13 플라스틱 원료를 가진 세균의 특성을 활용하면 플라스틱 제품을 만들 수 있습니다. ㉠은 물질을 분해하는 세균의 특성, ㉡은 영양소가 풍부한 원생 생물의 특성, ㉢은 세균을 자라지 못하게 하는 곰팡이의 특성을 활용한 예입니다.

14 ❶은 세균, ❷는 균류, ❸은 큰창자, ❹는 포자, ❺는 원생, ❻은 생명 과학입니다.

4주 | TEST + 특강

168~169쪽　누구나 100점 TEST

1 ③	**2** 균사	**3** (1) ㉠ (2) ㉡
4 ⑤	**5** ㉢	**6** ㉢　　**7** ㉠
8 ⑤	**9** ③	**10** (1) ㉡ (2) ㉢ (3) ㉠

1 곰팡이와 버섯은 식물에서 볼 수 있는 뿌리, 줄기, 잎 등이 없으며 균류에 속하는 생물입니다.

2 균류는 가늘고 긴 균사로 이루어져 있습니다.

3 광학 현미경으로 관찰하면 해캄은 마디로 나누어져 있으며 초록색의 둥근 알갱이가 보이고, 짚신벌레는 길쭉한 모양이고 바깥쪽에 가는 털이 있습니다.

4 원생생물은 동물, 식물, 균류, 세균으로 분류되지 않으며, 생김새가 단순한 생물입니다.

5 해캄과 짚신벌레는 물이 고인 곳이나 물살이 느린 하천 등에서 삽니다.

6 세균은 크기가 매우 작기 때문에 배율이 높은 현미 경을 사용해서 관찰해야 합니다.

7 ㉠은 나선 모양, ㉡은 막대 모양 세균입니다.

정답과 풀이

8 세균은 균류나 원생생물보다 크기가 더 작고 생김
새가 단순한 생물로, 종류에 따라 모양이 다르며
번식 속도가 매우 빠릅니다.

9 ㉠, ㉣은 다양한 생물이 우리 생활에 미치는 해로운
영향이고, ㉡, ㉢은 다양한 생물이 우리 생활에
미치는 이로운 영향입니다.

10 첨단 생명 과학은 최신의 생명 과학 기술이나 연구
결과를 활용하여 우리 생활의 다양한 문제를 해결
하는 것입니다.

171쪽　생활 속 과학 융합

❶ 장대한

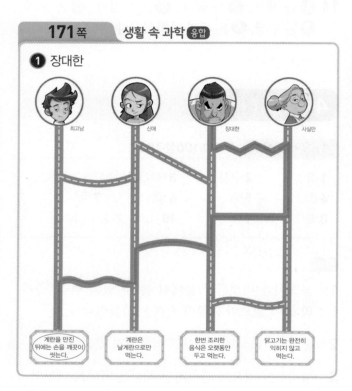

풀이

❶ 살모넬라 식중독을 예방하기 위해서는 날계란
먹는 것은 자제하고, 한번 조리한 음식은 되도록
빠른 시간 안에 먹어야 하며, 닭고기는 완전히
익힌 후에 먹어야 합니다.

172~173쪽　사고 쑥쑥 창의

❷ 3　　　　　**❸** 된장, 요구르트에 ○표

풀이

❷ 원생생물, 균류, 세균은 모두 동물이나 식물에
속하지 않으나 이 중 크기가 가장 작은 것은 세균
입니다. 세균은 원생생물이나 균류보다 크기가 더
작고 생김새가 단순한 생물이며 우리 주위 어느
곳에서나 살 수 있습니다.

❸ 발효 식품에는 김치, 된장, 요구르트, 치즈 등이
있습니다.

174~175쪽　논리 탄탄 코딩

❹ ㉡

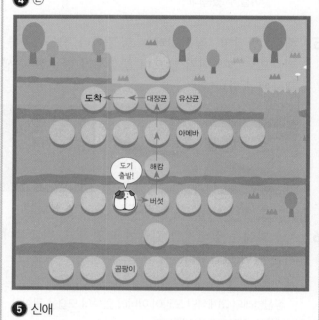

❺ 신애

풀이

❹ →（오른쪽으로 한 칸 이동）, ↑（위로 한 칸 이동）: 해캄 칸에 갑니다.

원（원생생물이면 위로 두 칸 이동）: 해캄은 원생생물이므로 위로
두 칸 이동하여 대장균 칸에 갑니다.

세（세균이면 왼쪽으로 두 칸 이동）: 대장균은 세균이므로 왼쪽으로
두 칸 이동하면 '도착' 칸에 갈 수 있습니다.

❺ 코딩을 하면 사실만은 세균인 유산균 칸에 도착하
므로 3점을 얻습니다. 신애는 균류인 곰팡이 칸에
도착하므로 10점을 얻습니다. 최고남은 원생생물
인 짚신벌레 칸에 도착하므로 5점을 얻습니다.

水 漁 之 交

물   물고기   갈   사귈

수   어   지   교

물고기에게 물은 정말 소중한 존재이지요.
수어지교란 물고기와 물의 관계처럼,
아주 친밀하여 떨어질 수 없는 사이
또는 깊은 우정을 일컫는 말이랍니다.

정답은
이안에
있어!

국어
예비초~초6

수학
예비초~초6

영어
예비초~초6

봄·여름
가을·겨울
(바·슬·즐)
초1~초2

안전
초1~초2

사회·과학
초3~초6

배움으로 행복한 내일을 꿈꾸는
천재교육 커뮤니티 안내 · · ·

교재 안내부터 구매까지 한 번에!
천재교육 홈페이지

자사가 발행하는 참고서, 교과서에 대한 소개는 물론
도서 구매도 할 수 있습니다. 회원에게 지급되는 별을 모아
다양한 상품 응모에도 도전해 보세요!

다양한 교육 꿀팁에 깜짝 이벤트는 덤!
천재교육 인스타그램

천재교육의 새롭고 중요한 소식을 가장 먼저 접하고 싶다면?
천재교육 인스타그램 팔로우가 필수!
깜짝 이벤트도 수시로 진행되니 놓치지 마세요!

수업이 편리해지는
천재교육 ACA 사이트

오직 선생님만을 위한, 천재교육 모든 교재에 대한 정보가 담긴
아카 사이트에서는 다양한 수업자료 및 부가 자료는 물론
시험 출제에 필요한 문제도 다운로드하실 수 있습니다.

https://aca.chunjae.co.kr

천재교육을 사랑하는 샘들의 모임
천사샘

학원 강사, 공부방 선생님이시라면 누구나 가입할 수 있는 천사샘!
교재 개발 및 평가를 통해 교재 검토진으로 참여할 수 있는 기회는 물론
다양한 교사용 교재 증정 이벤트가 선생님을 기다립니다.

아이와 함께 성장하는 학부모들의 모임공간
튠맘 학습연구소

튠맘 학습연구소는 초·중등 학부모를 대상으로 다양한 이벤트와 함께
교재 리뷰 및 학습 정보를 제공하는 네이버 카페입니다.
초등학생, 중학생 자녀를 둔 학부모님이라면 튠맘 학습연구소로 오세요!